Gearrchúrsa Gramadaí

Brian Mac Giolla Phádraig, M.A., LL.D.

Longman   Brún agus Ó Nualláin, Teor.

Clóbhualite i bPoblacht na hÉireann
3456789   ACG 5001 S

AN CLÁR

GEARRCHÚRSA GRAMADAÍ

I

NA RANNA CAINTE

Tá naoi gcinn de Ranna Cainte ann—an Briathar, an tAlt, an tAinmfhocal, an Aidiacht, an Forainm, an Dobhriathar, an Réamhfhocal, an Cónasc agus an Intriacht.

An Briathar.—Tugann an Briathar eolas faoi rud ; ciallaíonn sé gníomh de ghnáth : *dún, cuir, ól.*

Déantar dhá Réimniú de na briathra :

An Chéad Réimniú.—Briathra aonsiollacha : *dún, cuir, ól.*

An Dara Réimniú.—(a) Briathra ilsiollacha a chríochnaíonn ar -(a)igh : *ceannaigh, imigh,* nó (b) ar -(a)il, -(a)in, -(a)ir, -is, agus a choimrítear : *cuimil, seachain, imir, inis.*

(Is beag eisceacht do na rialacha sin atá ann.)

Foirm Spleách agus Foirm Neamhspleách.—Mura mbíonn aon mhionfhocal roimh an mbriathar, bíonn sé neamhspleách. Úsáidtear an fhoirm sin freisin i ndiaidh—

cé, cad, céard, cathain, conas, nuair, má, ó.

Ach leanann an fhoirm spleách—

    an, ní,   nach, cá, go,   dá,   mura, sula agus
    ar, níor, nár, cár, gur, murar,   sular

Is ionann an dá fhoirm ach amháin i gcás beagán briathra.

Scartha agus Táite.—Bíonn an tAinmní scartha ón mbriathar, de ghnáth : **Dhún mé** an doras. Ach uaireanta bíonn an tAinmní, más forainm é, táite leis an mbriathar : **Dúnaim** an doras.

Briathra Neamhrialta.—Tá 11 bhriathar neamhrialta sa Ghaeilge: *abair, beir, bí, clois, déan, faigh, feic, ith, tabhair, tar, téigh.*

Briathra Aistreacha agus Neamhaistreacha.—

Bíonn briathar aistreach nuair a ghabhann cuspóir leis :
Dún an **doras**. *Cuir* i do mhála **é.**

Bíonn sé neamhaistreach nuair nach féidir cuspóir a chur leis:
D'imigh sé abhaile. *Fan* liom. *Suigh* síos.

Modhanna agus Aimsirí an Bhriathair.—

Tá **ceithre Mhodh** ag an mbriathar—An Táscach, an Coinn-íollach, an tOrdaitheach agus an Foshuiteach.

An Modh Táscach.—Is é seo an modh is coitianta. Úsáidtear é, de ghnáth, chun tásc nó tuairisc a thabhairt nó chun ceist a chur : *D'imigh* sé inné. *Ar tháinig* sé fós ?

Tá **ceithre Aimsir** ag an Modh Táscach—An Aimsir (Ghnáth) Láithreach, An Aimsir Chaite, An Aimsir Ghnáthchaite, agus an Aimsir Fháistineach.

An Modh Coinníollach.—Bíonn coinníoll, de ghnáth, san abairt ina mbíonn an Modh Coinníollach.

An Modh Ordaitheach.—Úsáidtear an Modh Ordaitheach chun ordú a thabhairt.

An Modh Foshuiteach.—Úsáidtear an Modh Foshuiteach chun mian, guí, beannacht nó mallacht a chur in iúl.

An Saorbhriathar.—Úsáidtear an Saorbhriathar nuair nach eol don chainteoir an gníomhaí, nó nuair nach mian leis é a lua.

An tAlt.—Níl ach alt amháin sa Ghaeilge, i.e. **an. Na** is gné dó san Uimhir Iolra, agus sa Tuiseal Ginideach, Uatha, Bain-inscneach : **an** *fear,* **na** *fir, caint* **na** *mná.*

An tAinmfhocal.—Cuireann an tAinmfhocal in iúl an t-ainm atá ar dhuine, nó ar áit, nó ar rud : *Seán, Doire, bróg.*

Tugtar **Ainmfhocal Dílis** ar ainm duine nó áite agus **Ainmfhocal Coiteann** ar ainm ruda ar bith.

Tá **cúig Thuiseal** sa Ghaeilge—an tAinmneach, an Cuspóireach, an Tabharthach, an Ginideach agus an Gairmeach.

Tá **dhá Uimhir** sa Ghaeilge—an Uimhir Uatha agus an Uimhir Iolra : *an fear, na fir.*

Tá **dhá Inscne** sa Ghaeilge—Firinscneach agus Baininscneach. Is firinscneach nó baininscneach do gach ainmfhocal sa Ghaeilge.

An Aidiacht —Is focal é a chuirtear le hainmfhocal chun cáilíocht áirithe a bhaineann leis an duine, nó leis an rud atá i gceist a léiriú : *teach* **mór,** *fear* **ard,** *úll* **dearg.**

An Forainm.—Is focal é a chuirtear in áit ainmfhocail :

mé, tú, sé, sí, sinn, sibh, siad, seo, sin, cách, srl.

An Dobhriathar.—Is focal é a cháilíonn briathar, aidiacht, nó dobhriathar eile : shiúil sé **go tapaidh ;** bhí sé mall **go leor ;** bíonn sé as láthair **go minic.**

An Réamhfhocal.—Taispeánann réamhfhocal an bhaint atá ag rud le rud eile atá luaite san abairt :—

Réamhfhocail Shimplí : ar, do, i, etc.

Réamhfhocail Chomhshuite : ar son, i ndiaidh, tar éis, etc. Leanann an Tuiseal Tabharthach na réamhfhocail shimplí, de ghnáth, agus an Tuiseal Ginideach na réamhfhocail chomhshuite :

ag *an doras :* **os cionn** *an dorais.*

An Cónasc.—Ceanglaíonn an Cónasc dhá abairt, dhá fhochlásal, dhá abairtín, nó dhá fhocal dá chéile :

Tháinig sé inné **ach** *d'imigh sé arís inniu : Seán* **agus** *Séamas.*

An Intriacht.—Tugtar Intriacht ar an bhfocal nó dhó, nó ar an bhfuaim a deir duine go tobann nuair a chorraítear é :
Á ! Ó ! Och ! Faraoir !

2

AN CHÉAD RÉIMNIÚ DEN BHRIATHAR
AN AIMSIR (GHNÁTH) LÁITHREACH—I

An Fhoirm Dhearfach

Féach na habairtí seo:

Dúnann	Seán an doras gach oíche,
cuireann	sé an glas air,
ólann	sé cupán bainne, agus ansin
fágann	sé an cupán ar an mbord.

Cuireann na habairtí seo in iúl dúinn gníomhartha is gnách le Seán a dhéanamh agus mar sin tugtar an *Aimsir Ghnáthláithreach* ar an gcuid seo den bhriathar.

Má bhíonn an tAinmní scartha ón mbriathar cuirtear -(e)ann le fréamh an bhriathair (ach féach Ceachtanna 13–15), i.e. -ann le fréamh *leathan* agus -eann le fréamh *chaol*.

An Saorbhriathar

Más mian linn a rá go ndéantar gníomh ach gan an gníomhaí a lua, cuirimid an foirceann -tar nó -tear leis an mbriathar in ionad -ann nó -eann :

Dúntar	an doras gach oíche,
cuirtear	an glas air,
óltar	cupán bainne, agus ansin
fágtar	an cupán ar an mbord.

An Fhoirm Dhiúltach

I ndiaidh **ní** *séimhítear* túschonsan an bhriathair ach ní dhéantar aon athrú ar thúsghuta :

Ní dhúnann Máire an doras ; **ní chuireann** sí an glas air ; **ní ólann** sí cupán bainne ; **ní fhágann** sí an cupán ar an mbord. **Ní dhúntar** an doras ar maidin ; **ní chuirtear** an glas air ansin ; **ní óltar** cupán bainne agus **ní fhágtar** an cupán ar an mbord.

4

An Fhoirm Cheisteach

Chun ceist dhíreach a chur, cuirtear **an** roimh an mbriathar; chun ceist dhiúltach a chur, cuirtear **nach** roimh an mbriathar.

I ndiaidh **an** agus **nach** *uraítear* túschonsan an bhriathair; cuirtear **n-** roimh thúsghuta i ndiaidh **nach**.

An ndúnann sé ?	**Nach** ndúntar ?
An gcuireann sé ?	**Nach** gcuirtear ?
An ólann sé ?	**Nach** n-óltar ?
An bhfágann sé ?	**Nach** bhfágtar ?
An mbaineann sé?	**Nach** mbaintear ?
An ngoideann sé?	**Nach** ngoidtear ?
An dtugann sé?	**Nach** dtugtar ?

Cé ? Cad (Céard) ?

Séimhítear túschonsan an bhriathair i ndiaidh **cé** :

Cé dhúnann an doras ?	**Cé** chuireann an glas air ?
Cé ólann an bainne ?	**Cé** fhágann an cupán ar an mbord ?

I ndiaidh **cad** (nó **céard**) cuirtear **a** roimh an mbriathar agus *séimhítear* **a** thúschonsan :

Cad (**céard**) **a** dhéanann Seán? **Cad** (**céard**) **a** ólann sé ?

Obair le déanamh

A. Freagair na ceisteanna seo a leanas :

1. An gcuireann an feirmeoir síol san earrach ? 2. Cé dhúnann doras na scoile gach tráthnóna ? 3. Cad a fhágann Seán ar an mbord ? 4. An bhfásann coirce sa tír seo ? 5. An bhfásann rís sa tír seo ?

B. Cuir isteach saorbhriathar na mbriathra atá idir na lúibíní anseo agus freagair na ceisteanna :

1. An (ól) a lán caife in Éirinn ? 2. Nach (múin) Fraincis duit ar scoil ? 3. An (bain) an barr san earrach ? 4. An (goid) rothair go minic ? 5. An (fág) doras na scoile ar oscailt san oíche ?

5

3

AN CHÉAD RÉIMNIÚ DEN BHRIATHAR
AN AIMSIR (GHNÁTH) LÁITHREACH—II

Dearfach	Diúltach	Ceisteach
Uatha	*Uatha*	*Uatha*
1. dúnaim	ní dhúnaim	an ndúnaim ?
2. dúnann tú	ní dhúnann tú	an ndúnann tú ?
3. dúnann sé, sí	ní dhúnann sé, sí	an ndúnann sé, sí ?
Iolra	*Iolra*	*Iolra*
1. dúnaimid	ní dhúnaimid	nach ndúnaimid ?
2. dúnann sibh	ní dhúnann sibh	nach ndúnann sibh ?
3. dúnann siad	ní dhúnann siad	nach ndúnann siad ?
S. dúntar	ní dhúntar	nach ndúntar ?
1. cuirim	ní chuirim	nach gcuirim ?
2. cuireann tú	ní chuireann tú	nach gcuireann tú ?
3. cuireann sé, sí	ní chuireann sé, sí	nach gcuireann sé, sí ?
1. cuirimid	ní chuirimid	an gcuirimid ?
2. cuireann sibh	ní chuireann sibh	an gcuireann sibh ?
3. cuireann siad	ní chuireann siad	an gcuireann siad ?
S. cuirtear	ní chuirtear	an gcuirtear ?
1. ólaim	ní ólaim	nach n-ólaim ?
2. ólann tú	ní ólann tú	nach n-ólann tú ?
3. ólann sé, sí	ní ólann sé, sí	nach n-ólann sé, sí ?
1. ólaimid	ní ólaimid	an ólaimid ?
2. ólann sibh	ní ólann sibh	an ólann sibh ?
3. ólann siad	ní ólann siad	an ólann siad ?
S. óltar	ní óltar	an óltar ?

Cathain ?   Cén uair ?

Cuirtear **a** roimh an mbriathar i ndiaidh **cathain** nó **cén uair** agus *séimhítear* a thúschonsan :

Cathain (cén uair) a dhúnann Seán an doras ?
Cathain (cén uair) a ólann sé an bainne ?
Cathain (cén uair) a chuirtear an glas ar an doras ?

Cá ?

Uraítear túschonsan an bhriathair i ndiaidh **cá** agus cuirtear **n-** roimh thúsghuta :

Cá gcuireann madra cnámha go minic ?
Cuireann sé i bpoll sa chré iad.

Cá n-óltar a lán fíona ? Óltar sa Fhrainc é.

Obair le déanamh

A. Scríobh na habairtí seo a leanas san uimhir iolra :
1. Ólaim tae gach maidin. 2. Creideann sé gach scéal. 3. Cathain a éisteann tú leis an Raidió ? 4. An bhfanann sí ón scoil go minic ? 5. Nach gcuireann tú siúcra ar do chuid tae ?

B. Scríobh na habairtí seo a leanas san uimhir uatha :
1. Léimid roinnt Gaeilge gach lá. 2. Cá gcaitheann siad an samhradh ? 3. Nach bhfanann siad sa bhaile go minic ? 4. Ní ólaimid caife. 5. An gcaitheann sibh giotaí páipéir ar an tsráid ?

C. Cuir isteach briathar oiriúnach sa bhearna atá i ngach abairt díobh seo a leanas :
1. An . . . tú litir go minic ? Scríobhaim.
2. An . . . sibh gluaisteán ? Ní thiomáinimid.
3. Nach . . . a lán úll agus oráistí ? Itear.
4. Nach . . . sé £10 gach seachtain ? Tuilleann.
5. Ní . . . (déan) . . . rud maith ró-mhinic.

7

4

AN CHÉAD RÉIMNIÚ DEN BHRIATHAR
AN AIMSIR CHAITE

Ní bhíonn aon fhoirceann ar an ngné scartha den bhriathar san Aimsir Chaite.

Séimhítear túschonsan an bhriathair san Aimsir Chaite agus cuirtear **d'** roimh ghuta agus roimh **fh.**

In ionad **an, ní, nach, go, cá, mura, sula**

úsáidtear **ar, níor, nár, gur, cár, murar, sular**

san Aimsir Chaite, ach amháin i gcás beagán briathra. *Séimhítear* túschonsan an bhriathair i ndiaidh na mionfhocal sin.

Dearfach	**Diúltach**	**Ceisteach**
1. dhún mé	**níor** dhún mé	**ar** dhún mé?
2. dhún tú	**níor** dhún tú	**ar** dhún tú?
3. dhún sé, sí	**níor** dhún sé, sí	**ar** dhún sé, sí?
1. dhún**amar**	**níor** dhúnamar	**nár** dhúnamar?
2. dhún sibh	**níor** dhún sibh	**nár** dhún sibh?
3. dhún siad	**níor** dhún siad	**nár** dhún siad?
S. dún**adh**	**níor** dúnadh	**nár** dúnadh?
1. chuir mé	**níor** chuir mé	**ar** chuir mé?
2. chuir tú	**níor** chuir tú	**ar** chuir tú?
3. chuir sé, sí	**níor** chuir sé, sí	**ar** chuir sé, sí?
1. chuir**eamar**	**níor** chuireamar	**nár** chuireamar?
2. chuir sibh	**níor** chuir sibh	**nár** chuir sibh?
3. chuir siad	**níor** chuir siad	**nár** chuir siad?
S. cuir**eadh**	**níor** cuireadh	**nár** cuireadh?

N.B. Ní shéimhítear túschonsan an tsaorbhriathair san Aimsir Chaite.

Dearfach	Diúltach	Ceisteach
1. **d'** ól mé	**níor** ól mé	**ar** ól mé?
2. **d'** ól tú	**níor** ól tú	**ar** ól tú?
3. **d'** ól sé, sí	**níor** ól sé, sí	**ar** ól sé, sí?
1. **d'** ólamar	**níor** ólamar	**nár** ólamar?
2. **d'** ól sibh	**níor** ól sibh	**nár** ól sibh?
3. **d'** ól siad	**níor** ól siad	**nár** ól siad?
S. óladh	**níor** óladh	**nár** óladh?

Gnáthláithreach	Caite
An ndúnann Seán an doras gach oíche? **Dúnann.**	**Ar dhún** Seán an doras aréir? **Dhún.**
Nach gcuireann sé an glas air gach oíche? **Cuireann.**	**Nár chuir** sé an glas air aréir? **Chuir.**
Itheann Seán úll gach lá.	**D'ith** Seán úll inné.

An Aimsir Láithreach

I gcás na mbriathra a bhaineann leis na céadfaí, i.e. *feic, clois, deir, ceap, meas, tuig,* srl., ciallaíonn an fhoirm seo den bhriathar (i.e. -ann, -eann) an **Aimsir Láithreach** chomh maith leis an Aimsir Ghnáthláithreach :

> **Cloisim an clog anois**—Aimsir Láithreach.
> **Cloisim an clog gach lá**—Aimsir Ghnáthláithreach.

Obair le déanamh

A. Cuir *inné* in áit *gach lá* sna habairtí seo a leanas :

1. Caithim réal ar oráiste mór gach lá. 2. Tugtar coirce do na capaill gach lá. 3. Crochann Máire a cóta ar chrúca sa scoil gach lá. 4. Ní fhanaimid sa bhaile gach lá. 5. An éisteann tú leis an Raidió gach lá?

B. Scríobh na habairtí seo san Aimsir Láithreach :

1. Ar chreid tú an scéal sin? 2. Níor thuigeamar an cheist i gceart. 3. Cár fhág tú do rothar ag an scoil? 4. Ar iarradh ort an t-urlár a scuabadh? 5. Níor díoladh a lán earraí sa siopa sin.

5

AN CHÉAD RÉIMNIÚ DEN BHRIATHAR
AN AIMSIR GHNÁTHCHAITE

Baintear feidhm as an Aimsir Ghnáthchaite nuair a dhéantar tagairt do ghníomh ba ghnách a dhéanamh san am atá thart.

Sa ghné scartha cuirtear an foirceann **-adh** le fréamh *leathan* agus **-eadh** le fréamh *chaol* (*Ach féach Ceachtanna* 13-15).

A. Ghnáthláithreach : **Dúnann** Seán an doras gach oíche.
A. Chaite : **Dhún** Seán an doras aréir.
A. Ghnáthchaite : **Dhúnadh** Seán an doras gach oíche anuraidh.

Séimhítear túschonsan an bhriathair san Aimsir Ghnáthchaite, agus cuirtear **d** roimh ghuta agus roimh **fh**.

Is iad na mionfhocail **an, ní, nach, go, cá, mura** a úsáidtear san Aimsir Ghnáthchaite.

Dearfach	Diúltach	Ceisteach
1. dhúnainn	ní dhúnainn	an ndúnainn ?
2. dhúntá	ní dhúntá	an ndúntá ?
3. dhúnadh sé, sí	ní dhúnadh sé, sí	an ndúnadh sé, sí ?
1. dhúnaimis	ní dhúnaimis	nach ndúnaimis ?
2. dhúnadh sibh	ní dhúnadh sibh	nach ndúnadh sibh ?
3. dhúnaidís	ní dhúnaidís	nach ndúnaidís ?
S. dhúntaí	ní dhúntaí	nach ndúntaí ?
1. chuirinn	ní chuirinn	nach gcuirinn ?
2. chuirteá	ní chuirteá	nach gcuirteá ?
3. chuireadh sé, sí	ní chuireadh sé, sí	nach gcuireadh sé, sí ?
1. chuirimis	ní chuirimis	an gcuirimis ?
2. chuireadh sibh	ní chuireadh sibh	an gcuireadh sibh ?
3. chuiridís	ní chuiridís	an gcuiridís ?
S. chuirtí	ní chuirtí	an gcuirtí ?

Dearfach	Diúltach	Ceisteach
1. d' ólainn	ní ólainn	an ólainn ?
2. d' óltá	ní óltá	an óltá ?
3. d' óladh sé, sí	ní óladh sé, sí	an óladh sé, si ?
1. d' ólaimis	ní ólaimis	nach n-ólaimis ?
2. d' óladh sibh	ní óladh sibh	nach n-óladh sibh ?
3. d' ólaidís	ní ólaidís	nach n-ólaidís ?
S. d' óltaí	ní óltaí	nach n-óltaí ?

Aimsir Chaite	Aimsir Ghnáthchaite
Dhún Seán an doras aréir.	Dhúnadh Seán an doras gach oíche anuraidh.
Ar chuir sé an glas air ?	An gcuireadh sé an glas air ?
Nár ól sé an bainne ?	Nach n-óladh sé an bainne ?
Cár fhág sé an cupán ?	Cá bhfágadh sé an cupán ?

Obair le déanamh

A. Athscríobh na habairtí seo a leanas san Aimsir Ghnáthchaite. Cuir an focal _anuraidh_ i ndiaidh _gach lá_.

1. Éistim leis an Raidió gach lá. 2. An gcuireann tú cóta mór ort gach lá fuar ? 3. Nach bhfágann sé an baile in am gach lá ? 4. Ní ithimid ceapairí agus ní ólaimid bainne gach lá. 5. Tugann siad cnámh don mhadra gach lá.

B. Tá na habairtí seo a leanas san Aimsir Chaite, scríobh san Aimsir Ghnáthchaite iad.

1. D'éirigh mé ar a seacht a chlog. 2. Nár fhill tú abhaile go dtí an oíche ? 3. Níor fhan sé liom ag doras na scoile. 4. Ar shiúil siad trasna na sléibhte ? 5. Díoladh a lán beithíoch ar an mbaile seo.

C. Scríobh na habairtí seo a leanas san Aimsir Ghnáthchaite:

A. Láithreach : 1. An gcaitheann tú toitíní ? 2. Ní bhrisimid na rialacha. 3. Ní chreidtear gach scéal. 4. Nach ndíolann sibh as ? 5. Geallaim duit é.

A. Chaite : 1. Sheas sé. 2. Nár éist sé leat ? 3. Nár glanadh é ? 4. Níor bhaineamar de é. 5. D'íoc sé as.

11

6

AN CHÉAD RÉIMNIÚ DEN BHRIATHAR
AN AIMSIR FHÁISTINEACH

Baintear feidhm as an Aimsir Fháistineach nuair a dhéantar tagairt don am atá le teacht.

Sa ghné scartha cuirtear an foirceann **-faidh** le fréamh *leathan* agus **-fidh** le fréamh *chaol*. (*Ach féach Ceachtanna* 13-15).

Dúnfaidh Seán an doras anocht.	(**Ní dhúnfaidh** Máire é).
Cuirfidh sé an glas air.	(**Ní chuirfidh** sí).
Ólfaidh sé cupán bainne.	(**Ní ólfaidh** sí).
Fágfaidh sé an cupán ar an mbord.	(**Ní fhágfaidh** sí).

Is iad na mionfhocail **an, ní, nach, go, cá, mura,** a úsáidtear san Aimsir Fháistineach.

Dearfach	Diúltach	Ceisteach
1. dúnfaidh mé	ní dhúnfaidh mé	an ndúnfaidh mé ?
2. dúnfaidh tú	ní dhúnfaidh tú	an ndúnfaidh tú ?
3. dúnfaidh sé, sí	ní dhúnfaidh sé, sí	an ndúnfaidh sé, sí ?
1. dúnfaimid	ní dhúnfaimid	nach ndúnfaimid ?
2. dúnfaidh sibh	ní dhúnfaidh sibh	nach ndúnfaidh sibh ?
3. dúnfaidh siad	ní dhúnfaidh siad	nach ndúnfaidh siad ?
S. dúnfar	ní dhúnfar	nach ndúnfar ?
1. cuirfidh mé	ní chuirfidh mé	nach gcuirfidh mé ?
2. cuirfidh tú	ní chuirfidh tú	nach gcuirfidh tú ?
3. cuirfidh sé, sí	ní chuirfidh sé, sí	nach gcuirfidh sé, sí ?
1. cuirfimid	ní chuirfimid	an gcuirfimid ?
2. cuirfidh sibh	ní chuirfidh sibh	an gcuirfidh sibh ?
3. cuirfidh siad	ní chuirfidh siad	an gcuirfidh siad ?
S. cuirfear	ní chuirfear	an gcuirfear ?

Dearfach	**Diúltach**	**Ceisteach**
1. ólfaidh mé	ní ólfaidh mé	an ólfaidh mé?
2. ólfaidh tú	ní ólfaidh tú	an ólfaidh tú?
3. ólfaidh sé, sí	ní ólfaidh sé, sí	an ólfaidh sé, sí?
1. ólfaimid	ní ólfaimid	nach n-ólfaimid?
2. ólfaidh sibh	ní ólfaidh sibh	nach n-ólfaidh sibh?
3. ólfaidh siad	ní ólfaidh siad	nach n-ólfaidh siad?
S. ólfar	ní ólfar	nach n-ólfar?

Ní chuirfidh Máire an glas ar an doras anocht.
An gcuirfidh Seán an glas air? **Cuirfidh.**
Nach n-ólfaidh Seán cupán bainne? **Ólfaidh.**
Cá bhfágfar an cupán? **Fágfar** ar an mbord é.

Obair le déanamh

A. Scríobh na habairtí seo a leanas san Aimsir Fháistineach :

Cuir *amárach* **in áit** *gach lá.*

1. Múintear Gaeilge agus Béarla sa scoil gach lá. 2. Molann an múinteoir na daltaí is fearr gach lá. 3. Gléasaimid sinn féin go tapaidh gach lá. 4. Líonaim an citeal le huisce gach lá. 5. Cíorann sí a cuid gruaige gach lá.

B. Tá na habairtí seo a leanas san Aimsir Chaite, scríobh san Aimsir Fháistineach iad.

1. Lean an madra mé. 2. D'fhágamar an scoil ar a trí a chlog. 3. Chuir sé a chuid leabhar ina mhála. 4. Ghlan mé mo bhróga ar maidin. 5. Mhol siad an obair.

C. Scríobh na briathra seo a leanas san Aimsir Fháistineach :

A. Láithreach : 1. Ceapaim. 2. Ní chreidimid. 3. An éisteann sé? 4. Nach ndíolann tú é? 5. Coimeádann sibh iad.

A. Chaite : 1. Briseadh é. 2. Chaill sé é. 3. Chaitheamar é. 4. Leag siad é. 5. Bhearr sé é.

A. Ghnáthchaite : 1. D'ólainn. 2. An ligtí duit? 3. Lasaimis. 4. Thógaidís. 5. Thiteá.

7

AN CHÉAD RÉIMNIÚ DEN BHRIATHAR
AN MODH COINNÍOLLACH

Baintear feidhm as an Modh Coinníollach, de ghnáth, nuair a bhíonn coinníoll san abairt.

Sa ghné scartha cuirtear an foirceann **-fadh** le fréamh *leathan* agus **-feadh** le fréamh *chaol* (*Ach féach Ceachtanna* 14-15).

D'ólfadh Seán deoch uisce dá mbeadh tart air.
Chuirfeadh sé cóta mór air dá mbeadh an lá fuar.

Séimhítear túschonsan an bhriathair sa Mhodh Coinníollach agus cuirtear **d'** roimh thúsghuta agus roimh **fh**.

Is iad na mionfhocail **an, ní, nach, go, cá, mura** a úsáidtear sa Mhodh Coinníollach.

Dearfach	Diúltach	Ceisteach
1. dhúnfainn	**ní** dhúnfainn	**an n**dúnfainn ?
2. dhúnfá	**ní** dhúnfá	**an n**dúnfá ?
3. dhúnfadh sé, sí	**ní** dhúnfadh sé, sí	**an n**dúnfadh sé, sí ?
1. dhúnfaimis	**ní** dhúnfaimis	**nach n**dúnfaimis ?
2. dhúnfadh sibh	**ní** dhúnfadh sibh	**nach n**dúnfadh sibh ?
3. dhúnfaidís	**ní** dhúnfaidís	**nach n**dúnfaidís ?
S. dhúnfaí	**ní** dhúnfaí	**nach n**dúnfaí ?
1. chuirfinn	**ní** chuirfinn	**nach g**cuirfinn ?
2. chuirfeá	**ní** chuirfeá	**nach g**cuirfeá ?
3. chuirfeadh sé, sí	**ní** chuirfeadh sé, sí	**nach g**cuirfeadh sé, sí ?
1. chuirfimis	**ní** chuirfimis	**an g**cuirfimis ?
2. chuirfeadh sibh	**ní** chuirfeadh sibh	**an g**cuirfeadh sibh ?
3. chuirfidís	**ní** chuirfidís	**an g**cuirfidís ?
S. chuirfí	**ní** chuirfí	**an g**cuirfí ?

Dearfach	Diúltach	Ceisteach
1. d' ólfainn	ní ólfainn	an ólfainn ?
2. d' ólfá	ní ólfá	an ólfá ?
3. d' ólfadh sé, sí	ní ólfadh sé, sí	an ólfadh sé, sí ?
1. d' ólfaimis	ní ólfaimis	nach n-ólfaimis ?
2. d' ólfadh sibh	ní ólfadh sibh	nach n-ólfadh sibh ?
3. d' ólfaidís	ní ólfaidís	nach n-ólfaidís ?
S. d' ólfaí	ní ólfaí	nach n-ólfaí ?

Leanann an Modh Coinníollach an cónasc **dá.** *Uraítear* túschonsan briathair i ndiaidh **dá** agus cuirtear **n-** roimh thúsghuta :
Dá bhfanfadh sé ina shuí déanach **thitfeadh** sé ina chodladh.

Obair le déanamh

A. Freagair na ceisteanna seo a leanas :—

1. Cad a dhéanfadh Seán dá mbeadh tart air ? (Ól) sé deoch uisce.
2. Cad a dhéanfainn dá mbuailfeadh taom tinnis mé ? (Cuir) fios ar an dochtúir. 3. Cad a dhéanfadh máthair dá dtitfeadh a leanbh ? (Tóg) sí é, agus (póg) sí é. 4. Cad a dhéanfadh scata cailíní dá bhfeicfidís luch ? (Scread) agus (rith). 5. Cad a dhéanfadh sibh dá mbeadh an lá fliuch ? (Fan) istigh agus (déan) obair tí.

B. Athscríobh na seanfhocail seo a leanas, agus bíodh na briathra atá idir lúibíní sa Mhodh Coinníollach.

1. (Leag) tua bheag crann mór. 2. Is beag an ghaoth nach (lúb) tráithnín. 3. Is olc an chearc nach (scríob) di féin. 4. Ní (déan) an saol capall rása d'asal. 5. Déan sa bhaile mar a (déan) as baile.

C. Scríobh na briathra seo a leanas sa Mhodh Coinníollach.

A. Láithreach : 1. Tuigim an scéal. 2. Preabaimid suas.
A. Chaite : 3. Shroich siad an áit in am. 4. Ar iarr tú air é ?
A. Ghnáthchaite : 5. Stoithimis bláthanna. 6. Ní stadaidís den chaint.
A. Fháistineach : 7. Siúlfaidh mé leat. 8. Nach gcreidfidh tú é ?
9. Ní choimeádfaidh mé é. 10. Scaipfear an síol.

8

AN CHÉAD RÉIMNIÚ DEN BHRIATHAR
AN MODH ORDAITHEACH

Úsáidtear an Modh Ordaitheach, de ghnáth, chun ordú a thabhairt.
Ná an mionfhocal diúltach, cuirtear **h** roimh thúsghuta ina dhiaidh.
Seo mar a réimnítear an briathar sa Mhodh Ordaitheach.

Dearfach	Diúltach	Dearfach	Diúltach
1. dúnaim	ná dúnaim	ólaim	ná hólaim
2. dún	ná dún	ól	ná hól
3. dúnadh sé, sí	ná dúnadh sé, sí	óladh sé, sí	ná hóladh sé, sí
1. dúnaimis	ná dúnaimis	ólaimis	ná hólaimis
2. dúnaigí	ná dúnaigí	ólaigí	ná hólaigí
3. dúnaidís	ná dúnaidís	ólaidís	ná hólaidís
S. dúntar	ná dúntar	óltar	ná hóltar

1	2	3
cuirim	cuir	cuireadh sé, sí
ná cuirim	ná cuir	ná cuireadh sé, sí
cuirimis	cuirigí	cuiridís
ná cuirimis	ná cuirigí	ná cuiridís

Saorbhriathar : cuir**tear**, ná cuir**tear.**

Ní minic a úsáidtear an chéad phearsa, ach i gcás na mbriathra
clois agus *feic* is féidir í a úsáid chun ordú a thabhairt do dhuine :
  Ná cloisim focal asat.   **Ná feicim** é sin arís.
Sa tríú pearsa tugtar ordú do dhuine (dhaoine) eile gan labhairt
leis (leo) go díreach.
  Déanadh Seán é.   **Ná héistidís** leis an bhfear sin.
Sa chéad phearsa iolra bíonn níos mó den iarratas ná den ordú
ann :
  Téimis abhaile.   **Ná bímis** déanach.

Tugann an Saorbhriathar ordú gan an gníomhaí a lua :
Cuirtear faoi ghlas é. **Ná hiarrtar** air dul ann.

Obair le déanamh
A. Scríobh na habairtí seo a leanas san uimhir iolra :
1. Déanaim é nó ná déanaim é, nach cuma duitse ? 2. Crom
ar an obair. 3. Ná hól an t-uisce sin. 4. Filleadh sé abhaile in
am. 5. Ná hitheadh sí an iomarca milseán.

B. Scríobh an fhoirm dhiúltach de na habairtí seo :
1. Ól an deoch. 2. Imídís abhaile roimh a sé a chlog. 3. Fágtar
an geata ar oscailt. 4. Déanadh Seán é. 5. Iarraimis an t-airgead
air.

**C. Tá na habairtí seo a leanas san Aimsir Fháistineach,
scríobh sa Mhodh Ordaitheach iad :**
1. Fanfaidh sibh anseo. 2. Líonfar an poll amárach. 3. Ní
fhágfaimid an scoil go dtí a ceathair a chlog. 4. Ní chuirfear
as an teach é. 5. Dúnfaidh Seán an doras.

Athchleachtadh (Ceachtanna 2–7)
D. Cuir gach lá anuraidh **in áit** gach lá **sna habairtí seo agus
athraigh na briathra dá réir :**
1. Glanaim m'fhiacla gach lá. 2. An ólann tú bainne gach lá ?
3. Ní fhanaimid istigh gach lá. 4. Siúlann siad go dtí an scoil
gach lá. 5. Nach gcaitheann sé toitíní gach lá ?

E. Scríobh na briathra seo a leanas sa Mhodh Coinníollach :
1. Brisfidh siad. 2. Ní chaillfimid. 3. An scríobhfaidh tú
chuige ? 4. Nach ngeallfar ? 5. An nglacfar leis ? 6. Ní theip-
fidh air. 7. Dúnfaidh mé. 8. Ní stopfaidh sibh in am. 9. Nach
bhfillfidh sé ? 10. Ní thréigfidh mé é.

F. Scríobh na habairtí seo a leanas san Aimsir Chaite:
1. Múintear Gaeilge dúinn. 2. Sínimid sinn féin ar an bhféar.
3. Sroicheann siad an scoil in am. 4. Crochaim mo chóta ar
an mballa. 5. Ní chuirim siúcra ar mo chuid tae.

9

AN CHÉAD RÉIMNIÚ DEN BHRIATHAR
AN MODH FOSHUITEACH

Úsáidtear an Modh Foshuiteach—

Chun guí a rá nó chun mian a chur in iúl.

Mionfhocail : **Go** an *dearfach :* **nár** an *diúltach,* de ghnáth.

Seo mar a réimnítear an briathar sa Mhodh Foshuiteach :—

Dearfach	**Diúltach**	
1. go ndúna mé	nár chuire mé	go n-óla mé
2. go ndúna tú	nár chuire tú	go n-óla tú
3. go ndúna sé, sí	nár chuire sé, sí	go n-óla sé, sí
1. go ndúnaimid	nár chuirimid	nár ólaimid
2. go ndúna sibh	nár chuire sibh	nár óla sibh
3. go ndúna siad	nár chuire siad	nár óla siad
S. go ndúntar	go gcuirtear	go n-óltar
S. nár dhúntar	nár chuirtear	nár óltar

Baintear feidhm as an Modh Foshuiteach i gcuid mhaith de na beannachtaí :—

1. Nuair a chastar duine (daoine) ort, abair leis (leo) :

   (*a*) " **Go mbeannaí** Dia duit (daoibh)," nó (*b*) "**Go mbeannaí** Dia is Muire duit (daoibh)."

   An Freagra : (*a*) " **Go mbeannaí** Dia is Muire duit," nó (*b*) " **Go mbeannaí** Dia is Muire duit is Pádraig."

2. Ag dul isteach i dteach duit abair :

   " **Go mbeannaí** Dia anseo," nó " Bail ó Dhia anseo."

   An Freagra : " **Go mbeannaí** Dia is Muire duit."

3. Le duine atá ag dul abhaile, abair, " Beannacht leat," nó " **Go dté** tú slán," nó " **Go soirbhí** Dia duit," nó " Slán abhaile."
   An Freagra : " Beannacht Dé (nó Slán) agat (agaibh)."

4. Ag gabháil buíochais le duine, abair, " **Go raibh** céad (míle) maith agat," nó " **Go méadaí** Dia do stór," nó " **Nár laga** Dia do lámh," nó " **Gura** fada buan an tsláinte agat."
   An Freagra : " Tá fáilte romhat," nó " **Go ndéana** sé a mhaith duit."

5. Ag moladh ruda nua ag duine eile, abair leis (léi), " **Go maire** tú agus **go gcaithe** tú an . . . nua."
   An Freagra : " **Go maire** tusa do shláinte."

6. Má deir duine " Nollaig mhaith duit " nó " Athbhliain mhaith duit," abair leis, " **Gurab** amhlaidh duit," nó " **Go mbeirimid** beo ar an am seo arís."

7. Ag trácht ar dhuine marbh abair, " Beannacht Dé lena anam—fear, (lena hanam—bean)," nó " **Go ndéana** Dia trócaire air (uirthi)," nó " **Gura** móide de theaghlach na Glóire é."

8. Nuair atá drochbheart déanta ag duine deirtear, " **Nár agraí** Dia air é," nó " **Go maithe** Dia dó é."

Obair le déanamh

A. Gach abairt díobh seo a scríobh i bhfoirm ghuí :

1. Fágfaidh Dia do shláinte agat. 2. Cuirfear deireadh le cogaí.
3. Fóirfidh Dia ort. 4. Ní ligfidh Dia sin. 5. Ní fhágfar bocht go deo thú. 6. Mairfidh tú an chulaith nua. 7. Ní fhillfidh sé amárach.
8. Ní chuirfear chun báis é. 9. Ní thógfar ort é. 10. Déanfar trócaire air.

B. Cad is ceart a rá le duine ar na hócáidí seo :

1. Nuair a chastar duine ort. 2. Chun buíochas a ghabháil le duine.
3. Nuair a chíonn tú culaith nua éadaigh ar dhuine. 4. Le duine atá ag dul abhaile. 5. Nuair a deir duine leat "Nollaig mhaith duit."

IO

AN BRIATHAR "TÁ"

Aimsir Láithreach

1. táim (tá mé)	nílim (níl mé)		
2. tá tú	níl tú		
3. tá sé, sí	níl sé, sí		
1. táimid	nílimid		
2. tá sibh	níl sibh		
3. tá siad	níl siad		
S. táthar	níltear		

Aimsir Ghnáthláithreach

bím	ní bhím
bíonn tú	ní bhíonn tú
bíonn sé, sí	ní bhíonn sé, sí
bímid	ní bhímid
bíonn sibh	ní bhíonn sibh
bíonn siad	ní bhíonn siad
bítear	ní bhítear

Aimsir Chaite

1. bhí mé	ní raibh mé
2. bhí tú	ní raibh tú
3. bhí sé, sí	ní raibh sé, sí
1. bhíomar	ní rabhamar
2. bhí sibh	ní raibh sibh
3. bhí siad	ní raibh siad
S. bhíothas	ní rabhthas

Aimsir Ghnáthchaite

bhínn	ní bhínn
bhíteá	ní bhíteá
bhíodh sé, sí	ní bhíodh sé, sí
bhímis	ní bhímis
bhíodh sibh	ní bhíodh sibh
bhídís	ní bhídís
bhítí	ní bhítí

Aimsir Fháistineach

1. beidh mé	ní bheidh mé
2. beidh tú	ní bheidh tú
3. beidh sé, sí	ní bheidh sé, sí
1. beimid	ní bheimid
2. beidh sibh	ní bheidh sibh
3. beidh siad	ní bheidh siad
S. beifear	ní bheifear

Modh Coinníollach

bheinn	ní bheinn
bheifeá	ní bheifeá
bheadh sé, sí	ní bheadh sé, sí
bheimis	ní bheimis
bheadh sibh	ní bheadh sibh
bheidís	ní bheidís
bheifí	ní bheifí

Modh Ordaitheach		Modh Foshuiteach	
1. bím	ná bím	go raibh mé	ná raibh mé
2. bí	ná bí	go raibh tú	ná raibh tú
3. bíodh sé, sí	ná bíodh sé, sí	go raibh sé, sí	ná raibh sé, sí
1. bímis	ná bímis	go rabhaimid	ná rabhaimid
2. bígí	ná bígí	go raibh sibh	ná raibh sibh
3. bídís	ná bídís	go raibh siad	ná raibh siad
S. bítear	ná bítear	go rabhthar	ná rabhthar

Baintear feidhm as **an, ní, nach, go, cá** san Aimsir Chaite, agus as **ná** sa Mhodh Ordaitheach agus sa Mhodh Foshuiteach.
Ceisteach : An (nach) bhfuilim? An (nach) mbím? An (nach) mbínn? An (nach) raibh mé? An (nach) mbeidh mé? An (nach) mbeinn?

Tá agus Bíonn

Tá : Úsáidtear *tá* chun rud a rá atá fíor anois :
Tá sé fuar inniu. Tá an clog sin mall. Tá an fharraige goirt.
Bíonn : Úsáidtear *bíonn* i ngach cás eile :
Bíonn sé fuar sa gheimhreadh. Bíonn an clog sin mall gach lá.

Obair le déanamh

A. Scríobh na habairtí seo san Aimsir Fháistineach :
1. Táimid ag obair go dian. 2. Níl siad díomhaoin. 3. An bhfuil aon airgead acu? 4. Nílim ró-ghnóthach. 5. Táthar ag caint.

B. Scríobh na habairtí seo san Aimsir Ghnáthláithreach :
1. Bhínn déanach go minic. 2. Bhímis préachta leis an bhfuacht sa gheimhreadh. 3. Bhíteá san áit sin go minic. 4. Bhíodh na feirmeoirí gnóthach san earrach. 5. Ní bhítí sásta leis an aimsir.

C. Scríobh na habairtí seo sa Mhodh Foshuiteach :
1. Beidh tú níos fearr amárach. 2. Beidh céad maith agat. 3. Beimid go léir ann. 4. Ní bheidh maith agat. 5. Ní bheidh a fhad sin de luíochán bliana ort.

II

AN CHOPAIL "IS"—I

An Aimsir Láithreach : An Modh Foshuiteach

Ceanglaíonn an Chopail **is** dhá fhocal nó dhá abairtín dá chéile chun a thaispeáint gurb ionann iad. **Ní** an diúltach, ní leanann séimhiú é, ach cuirtear **h** roimh **é, í, iad, ea** ina dhiaidh. **An** an ceisteach agus **nach** an ceisteach diúltach.

Tugann an chéad chuid den abairt (An Fhaisnéis) eolas faoin dara cuid di (An tAinmní)

An Fhaisnéis	An tAinmní
Is feirmeoir	é.
Is caora óg	uan.
Ní iasc	frog.

Tá na focail *feirmeoir, caora, iasc,* éiginnte ; ach má chuirtear focal cinnte san Fhaisnéis ní mór an forainm **é, í** nó **iad** a chur idir an chopail agus an focal cinnte.

Is í Máire	í.
Is é capall na hoibre	an bia.
Ní hé lá na báistí	lá na bpáistí.
Is é lá na báistí	lá na lachan.
Ní hiad sin	mo chuid leabhar.

Más mian linn béim speisialta a chur ar fhocal san Fhaisnéis cuirtear an focal sin i dtosach, agus **is ea** ina dhiaidh.

Rógaire ceart **is ea** an fear sin.

Ceist agus Freagra

Ní leor **is** nó **ní** mar fhreagra ar cheist, ní mór focal éigin eile—forainm nó aidiacht—a chur leis :

1. An forainm **ea** más ainmfhocal éiginnte é :

   An asal é sin sa pháirc ? **Is ea.**
   Nach capaillín é ? **Ní hea,** ach asal.

2. An forainm **é, í, iad, mé, tú,** más ainmfhocal cinnte é :

    An í sin Úna Ní Bhroin? **Is í,** go deimhin.
    Nach í sin a máthair atá léi? **Ní hí,** ach a haintín.
    An tusa a chaill an t-airgead? **Ní mé,** ach Máire.

3. An aidiacht chéanna más aidiacht í :

    Nach fuar an lá é? **Is fuar,** gan amhras.

An Modh Foshuiteach

    Úsáidtear an Modh Foshuiteach den Chopail chun guí a rá nó chun mian a chur in iúl.

Gura(b) agus **nára(b)** is gné don Chopail sa mhodh sin.

Gura agus **nára** a úsáidtear roimh chonsan.

Gurab agus **nárab** a úsáidtear roimh ghuta :

    Gura fada buan tú.   **Gura** slán an scéalaí.
    Gurab amhlaidh duit.   **Gurab** é do leas é.
    Nára fearrde tú é.   **Nárab** é a leas é.

Obair le déanamh

A. Líon na bearnaí sna habairtí seo a leanas :

1 Cé hé sin? . . . Séamas . . .
2. Cé hí sin? . . . Máire . . .
3. An fear Séamas? . . . ach buachaill.
4. An olc an gníomh é? Is . . ., an-olc ar fad.
5. An leatsa an peann sin? Ní . . .
6. Nach deas an radharc é? Is . . ., go deimhin.
7. Cé acu fear nó bean an múinteoir?
8. Nach fearr obair ná caint? Is . . .
9. An asal é sin sa pháirc? Ní . . ., ach capaillín.
10. Nach gréasaí é? Ní hea, siúinéir . . . é.

B. Scríobh na habairtí seo a leanas sa Mhodh Foshuiteach.

1. Is fearrde tú an deoch sin. 2. Ní amhlaidh a bheidh. 3. Is é do dhála é. 4. Is fearr ná sin a bheidh sé amárach. 5. Ní obair in aisce an gnó sin.

I 2

AN CHOPAIL " IS "—II
An Aimsir Chaite : An Modh Coinníollach

Ba is gné don Chopail san Aimsir Chaite agus sa Mhodh Coinníollach. **B'** nó **ab** an fhoirm a úsáidtear roimh ghuta nó roimh **f** má leanann guta é. Ach **ba** a úsáidtear roimh **é, í, iad, eisean, ise, ea.**

A. Láithreach	Aimsir Chaite agus Modh Coinníollach	
	(Roimh chonsan agus fl-, fr-.)	*(Roimh ghuta agus f + guta)*
is	ba	b'
ní	níor	níorbh
an	ar	arbh
nach	nár	nárbh
gur(b)	gur	gurbh
cé	cér	cérbh

Leanann *séimhiú* na mionfhocail atá sa dara colún thuas. *Séimhítear* **f** i ndiaidh na mionfhocal sa tríú colún.

Aimsir Láithreach	Aimsir Chaite
Is duine saibhir é.	**Ba** dhuine saibhir é.
Ní duine bocht é.	**Níor** dhuine bocht é.
An duine saibhir é ?	**Ar** dhuine saibhir é ?
Nach duine saibhir é ?	**Nár** dhuine saibhir é ?
Is olc an scéal é.	**B'** olc an scéal é.
Is ea (Sea.) Ní hea.	**Ba ea. Níorbh ea.**
Cé leis an t-airgead ?	**Cér** leis an t-airgead ?
Is fliuch an lá é.	**Ba** fhliuch an lá é.
Ní freagra maith é.	**Níor** fhreagra maith é.
Is fíor duit.	**B'fhíor** duit.
Ní fiú duit dul ann.	**Níorbh** fhiú duit dul ann.

Is é Liam é.
Ní hé Art é.
An é Liam é? Is é.
Nach é Art é? Ní hé.
Cé hé sin?

An Modh Coinní\

Ba (b') is gné don Chopail sa Mhodh
feidhm, de ghnáth, as na mionfhocail **ar, ní**
Coinníollach.   Leanann séimhiú iad :

> **Ar** mhaith leat roinnt milseán? **Ba** mha␣␣␣␣␣␣␣␣␣maith
> agat.   **Nárbh** fhearr leat úll? **Níorbh** fh␣␣␣␣␣earr liom
> milseáin. **Arbh** fhéidir leat seacht míle san ␣␣␣r a shiúl, ach
> do dhícheall a dhéanamh?   **Níorbh** fhéidir, go deimhin,
> ach **b'**fhéidir liom ceithre mhíle san uair a shiúl.

Obair le déanamh

A. Scríobh na habairtí seo san Aimsir Chaite :

1. Cé hé sin? An é Seán é? 2. Ní hé.   Is é Mícheál é. 3. Is
deas an radharc é.   Nach deas? 4. Is maith liom é agus ní maith
liom é. 5. Is fíor duit é. 6. Is trua liom é. 7. Nach mór an díol
trua é? 8. An olc an gníomh é? 9. Is olc, faraoir ! 10. An fear
maith é?   Ní hea.

B. Chaill Seán réal inné agus fuair Art é.

**Ceisteanna a chumadh ar ábhar na habairte sin thuas
ionas gurb iad seo a leanas na freagraí a bheadh orthu
ceann ar cheann :**

1. Níorbh ea, ach réal. 2. Ba ea, 3. Ba é. 4. Níorbh é. 5. Is ea.

C. Freagair na ceisteanna seo a leanas :

1. Ar shagart Pádraig Mac Piarais? 2. Ar scríbhneoir é? 3. Arbh
é Brian Boramha a bhuaigh Cath Chluain Tarbh, 1014? 4. Arbh
é Rí Séamas a bhuaigh Cath na Bóinne, 1690? 5. Arbh fhear
láidir Samson?

AN CHÉAD RÉIMNIÚ DEN BHRIATHAR

Briathra aonsiollacha a chríochnaíonn ar -igh

Nigh

A. Láithreach	A. Ghnáthchaite	A. Chaite	A. Fháistineach
1. ním	nínn	nigh mé	nífidh mé
2. níonn tú	niteá	nigh tú	nífidh tú
3. níonn sé, sí	níodh sé, sí	nigh sé, sí	nífidh sé, sí
1. nímid	nímis	níomar	nífimid
2. níonn sibh	níodh sibh	nigh sibh	nífidh sibh
3. níonn siad	nídís	nigh siad	nífidh siad
S. nitear	nití	níodh	nífear

M. Coinníollach	M. Ordaitheach	M. Foshuiteach
1. nífinn	ním	go ní mé
2. nífeá	nigh	go ní tú
3. nífeadh sé, sí	níodh sé, sí	go ní sé, sí
1. nífimis	nímis	go nímid
2. nífeadh sibh	nígí	go ní sibh
3. nífidís	nídís	go ní siad
S. nífí	nitear	go nitear

Dóigh

A. Láithreach	A. Ghnáthchaite	A. Chaite	A. Fháistineach
1. dóim	dhóinn	dhóigh mé	dófaidh mé
2. dónn tú	dhóiteá	dhóigh tú	dófaidh tú
3. dónn sé, sí	dhódh sé, sí	dhóigh sé, sí	dófaidh sé, sí
1. dóimid	dhóimis	dhómar	dófaimid
2. dónn sibh	dhódh sibh	dhóigh sibh	dófaidh sibh
3. dónn siad	dhóidís	dhóigh siad	dófaidh siad
S. dóitear	dhóití	dódh	dófar

M. Coinníollach	M. Ordaitheach	M. Foshuiteach
1. dhófainn	dóim	go ndó mé
2. dhófá	dóigh	go ndó tú
3. dhófadh sé, sí	dódh sé, sí	go ndó sé, sí
1. dhófaimis	dóimis	go ndóimid
2. dhófadh sibh	dóigí	go ndó sibh
3. dhófaidís	dóidís	go ndó siad
S. dhófaí	dóitear	go ndóitear

Réimnítear *crúigh* mar a réimnítear *dóigh*.

Briathra atá ar aon dul le *nigh* :
nigh, cloígh, figh, guigh, ligh, luigh, suigh.
Ainmneacha Briathartha na mbriathra sin :
ní, cloí, fí, guí, lí, luí, suí.

Briathra atá ar aon dul le *dóigh* **agus** *crúigh* :
dóigh, feoigh, reoigh : *crúigh*, brúigh, liúigh, súigh.
Ainmneacha Briathartha na mbriathra sin :
dó, feo, reo : *crú*, brú, liú, sú.

Obair le déanamh

A. Cuir *inné* **in áit** *gach lá* **sna habairtí seo :**
1. Ním mo lámha go minic gach lá. 2. Guímid ort gach lá.
3. Nach luíonn siad síos gach lá ar a dó a chlog? 4. Crúitear
na ba gach lá. 5. An líonn an madra do lámh gach lá?

B. Cuir *amárach* **in ionad** *inné* **sna habairtí seo :**
1. Shúigh an bheach an mhil as an mbláth inné. 2. Brúdh na
prátaí inné. 3. Liúigh na buachaillí ag an gcluiche peile inné.
4. Crúdh na ba inné. 5. Dhómar na seanpháipéir inné.

C. Scríobh na briathra seo san Aimsir Fháistineach :
A. Láithreach : guím, luímid, líonn siad.
A. Ghnáthchaite : níodh sí, dhóimis, luídís.
A. Chaite : shuíomar, crúdh, bhrúigh sé.

14

AN DARA RÉIMNIÚ DEN BHRIATHAR—I

Sa **Chéad Réimniú** níl ach siolla amháin sa chuid is mó de na
briathra : dún, cuir, ól, nigh, dóigh.

Sa **Dara Réimniú** tá breis is siolla amháin i ngach briathar agus
críochnaíonn siad ar—

(*a*) **-aigh, -igh :** tosaigh, imigh

(*b*) **-(a)il, -(a)in, -(a)ir, -is :** cuimil, cosain, labhair, inis.

Tosaigh

A. Láithreach	A. Ghnáthchaite	A. Chaite
1. tosaím	thosaínn	thosaigh mé
2. tosaíonn tú	thosaíteá	thosaigh tú
3. tosaíonn sé, sí	thosaíodh sé, sí	thosaigh sé, sí
1. tosaímid	thosaímis	thosaíomar
2. tosaíonn sibh	thosaíodh sibh	thosaigh sibh
3. tosaíonn siad	thosaídís	thosaigh siad
S. tosaítear	thosaítí	tosaíodh

A. Fháistineach	M. Coinníollach	M. Ordaitheach
1. tosóidh mé	thosóinn	tosaím
2. tosóidh tú	thosófá	tosaigh
3. tosóidh sé, sí	thosódh sé, sí	tosaíodh sé, sí
1. tosóimid	thosóimis	tosaímis
2. tosóidh sibh	thosódh sibh	tosaígí
3. tosóidh siad	thosóidís	tosaídís
S. tosófar	thosófaí	tosaítear

M. Fosh.   go dtosaí mé   go dtosaí tú   go dtosaí sé, sí

           go dtosaímid   go dtosaí sibh   go dtosaí siad

                   go dtosaítear   nár thosaítear

Imigh

A. Láithreach	A. Ghnáthchaite	A. Chaite
1. imím	d'imínn	d'imigh mé
2. imíonn tú	d'imíteá	d'imigh tú
3. imíonn sé, sí	d'imíodh sé, sí	d'imigh sé, sí
1. imímid	d'imímis	d'imíomar
2. imíonn sibh	d'imíodh sibh	d'imigh sibh
3. imíonn siad	d'imídís	d'imigh siad
S. imítear	d'imítí	imíodh

A. Fháistineach	M. Coinníollach	M. Ordaitheach
1. imeoidh mé	d'imeoinn	imím
2. imeoidh tú	d'imeofá	imigh
3. imeoidh sé, sí	d'imeodh sé, sí	imíodh sé, sí
1. imeoimid	d'imeoimis	imímis
2. imeoidh sibh	d'imeodh sibh	imígí
3. imeoidh siad	d'imeoidís	imídís
S. imeofar	d'imeofaí	imítear

M. Fosh. go n-imí mé   go n-imí tú   go n-imí sé, sí
go n-imímid   go n-imí sibh   go n-imí siad
go n-imítear   nár imítear

Obair le déanamh

A. Tá na briathra seo a leanas san Aimsir Láithreach, scríobh sa Mhodh Coinníollach iad.

1. Cruinnímid. 2. Ceannaíonn sibh. 3. Scrúdaítear.
4. Críochnaím. 5. Cabhraíonn siad.

B. Tá na briathra seo a leanas san Aimsir Chaite, scríobh san Aimsir Fháistineach iad.

1. Bhailigh sí na cóipleabhair. 2. D'éiríomar ar a seacht a chlog.
3. Fiafraíodh de cár imigh sé inné. 4. Níor mhínigh siad na focail dheacra dúinn. 5. Ar chuimhnigh tú air?

29

15

AN DARA RÉIMNIÚ DEN BHRIATHAR—II

Labhair

A. Láithreach	A. Ghnáthchaite	A. Chaite
1. labhraím	labhrainn	labhair mé
2. labhraíonn tú	labhraíteá	labhair tú
3. labhraíonn sé, sí	labhraíodh sé, sí	labhair sé, sí
1. labhraímid	labhraímis	labhraíomar
2. labhraíonn sibh	labhraíodh sibh	labhair sibh
3. labhraíonn siad	labhraídís	labhair siad
S. labhraítear	labhraítí	labhraíodh

A. Fháistineach	M. Coinníollach	M. Ordaitheach
1. labhróidh mé	labhróinn	labhraím
2. labhróidh tú	labhrófá	labhair
3. labhróidh sé, sí	labhródh sé, sí	labhraíodh sé, sí
1. labhróimid	labhróimis	labhraímis
2. labhróidh sibh	labhródh sibh	labhraígí
3. labhróidh siad	labhróidís	labhraídís
S. labhrófar	labhrófaí	labhraítear

M. Fosh. go labhraí mé   go labhraí tú   go labhraí sé, sí
     go labhraímid   go labhraí sibh   go labhraí siad
       go labhraítear   nár labhraítear

Inis

A. Láithreach	A. Ghnáthchaite	A. Chaite
1. insím	d'insínn	d'inis mé
2. insíonn tú	d'insíteá	d'inis tú
3. insíonn sé, sí	d'insíodh sé, sí	d'inis sé, sí
1. insímid	d'insímis	d'insíomar
2. insíonn sibh	d'insíodh sibh	d'inis sibh
3. insíonn siad	d'insídís	d'inis siad
S. insítear	d'insítí	insíodh

A. Fháistineach	M. Coinníollach	M. Ordaitheach
1. inseoidh mé	d'inseoinn	insím
2. inseoidh tú	d'inseofá	inis
3. inseoidh sé, sí	d'inseodh sé, sí	insíodh sé, sí
1. inseoimid	d'inseoimis	insímis
2. inseoidh sibh	d'inseodh sibh	insígí
3. inseoidh siad	d'inseoidís	insídís
S. inseofar	d'inseofaí	insítear

M. Fosh. go n-insí mé   go n-insí tú   go n-insí sé, sí
    go n-insímid   go n-insí sibh   go n-insí siad
        go n-insítear   nár insítear

Tugtar faoi deara go gcailleann na briathra *labhair, cosain, imir, inis,* srl. ((*b*) Ceacht 14) *ai* nó *i,* nuair a chuirtear siolla leo : cosain cosnóidh ; imir, d'imreoinn ; cuimil, chuimlíomar ; oscail, osclaítear ; cogain, cognaíonn sé ; ceangail, ceanglaím.

Obair le déanamh

A. In áit *gach lá* **cuir isteach** *gach lá anuraidh* **i ngach ceann de na habairtí seo, agus athraigh na briathra dá réir :**
1. Dúisím gach lá ar a hocht a chlog.
2. Imrímid cluiche gach lá i ndiaidh am scoile.
3. Ní fhreagraíonn Seán na ceisteanna i gceart gach lá.
4. Cognaíonn siad guma go minic gach lá.
5. Osclaítear an scoil gach lá ar a naoi a chlog.

B. In áit *inné* **cuir isteach** *amárach* **i ngach ceann de na habairtí seo agus athraigh na briathra dá réir :**
1. D'inis sé an scéal dom inné. 2. Ar chuimil tú ola do do ghlúin inné ? 3. Bhagair mé air gan a bheith déanach arís. 4. Níor labhraíomar leo faoin ngnó úd inné. 5. Nár chosain sé an chúis dlí sa chúirt inné ?

C. Tá ranna áirithe den bhriathar *tóg* **sna leaganacha seo :**
    tógfar, tógaimid, thógadh, thógamar.
scríobh na ranna céanna de na briathra seo :
    imir, oscail, suigh.

16

NA BRIATHRA NEAMHRIALTA
1. Abair

A. Láithreach	A. Ghnáthchaite	A. Chaite
1. deirim	deirinn	dúirt mé
2. deir tú	deirteá	dúirt tú
3. deir sé, sí	deireadh sé, sí	dúirt sé, sí
1. deirimid	deirimis	dúramar
2. deir sibh	deireadh sibh	dúirt sibh
3. deir siad	deiridís	dúirt siad
S. deirtear	deirtí	dúradh

A. Fháistineach	M. Coinníollach	M. Ordaitheach
1. déarfaidh mé	déarfainn	abraim
2. déarfaidh tú	déarfá	abair
3. déarfaidh sé, sí	déarfadh sé, sí	abradh sé, sí
1. déarfaimid	déarfaimis	abraimis
2. déarfaidh sibh	déarfadh sibh	abraigí
3. déarfaidh siad	déarfaidís	abraidís
S. déarfar	déarfaí	abairtear

M. Foshuiteach

go ndeire mé   go ndeire tú   go ndeire sé, sí
go ndeirimid   go ndeire sibh go ndeire siad   go ndeirtear

Ainm Briathartha : rá   **Aidiacht Bhriathartha :** ráite
San Aimsir Chaite úsáidtear **an, ní, nach, go, cá.**

Diúltach : ní deir, ní deireadh, ní dúirt, ní déarfaidh, ní déarfadh, ná habradh, nár dheire.

Saorbhriathra Diúltacha : ní deirtear, ní deirtí, ní dúradh, ní déarfar, ní déarfaí, ná habairtear, nár dheirtear.

NA BRIATHRA NEAMHRIALTA

2. Beir

A. Láithreach	A. Ghnáthchaite	A. Chaite
1. beirim	bheirinn	rug mé
2. beireann tú	bheirteá	rug tú
3. beireann sé, sí	bheireadh sé, sí	rug sé, sí
1. beirimid	bheirimis	rugamar
2. beireann sibh	bheireadh sibh	rug sibh
3. beireann siad	bheiridís	rug siad
S. beirtear	bheirtí	rugadh

A. Fháistineach	M. Coinníollach	M. Ordaitheach
1. béarfaidh mé	bhéarfainn	beirim
2. béarfaidh tú	bhéarfá	beir
3. béarfaidh sé, sí	bhéarfadh sé, sí	beireadh sé, sí
1. béarfaimid	bhéarfaimis	beirimis
2. béarfaidh sibh	bhéarfadh sibh	beirigí
3. béarfaidh siad	bhéarfaidís	beiridís
S. béarfar	bhéarfaí	beirtear

M. Foshuiteach

go mbeire mé   go mbeire tú   go mbeire sé, sí
go mbeirimid   go mbeire sibh   go mbeire siad   go mbeirtear

Ainm Briathartha : breith   **Aidiacht Bhriathartha :** beirthe
San Aimsir Chaite úsáidtear **ar, níor, nár, gur, cár.**

Diúltach : ní bheireann, ní bheireadh, níor rug, ní bhéarfaidh, ní bhéarfadh, ná beireadh, nár bheire.

Saorbhriathra Diúltacha : ní bheirtear, ní bheirtí, níor rugadh, ní bhéarfar, ní bhéarfaí, ná beirtear, nár bheirtear.

33

17

NA BRIATHRA NEAMHRIALTA

3. Clois (Cluin)

A. Láithreach	A. Ghnáthchaite	A. Chaite
1. cloisim	chloisinn	chuala mé
2. cloiseann tú	chloisteá	chuala tú
3. cloiseann sé, sí	chloiseadh sé, sí	chuala sé, sí
1. cloisimid	chloisimis	chualamar
2. cloiseann sibh	chloiseadh sibh	chuala sibh
3. cloiseann siad	chloisidís	chuala siad
S. cloistear	chloistí	chualathas

A. Fháistineach	M. Coinníollach	M. Ordaitheach
1. cloisfidh mé	chloisfinn	cloisim
2. cloisfidh tú	chloisfeá	—
3. cloisfidh sé, sí	chloisfeadh sé, sí	cloiseadh sé, sí
1. cloisfimid	chloisfimis	cloisimis
2. cloisfidh sibh	chloisfeadh sibh	—
3. cloisfidh siad	chloisfidís	cloisidís
S. cloisfear	chloisfí	cloistear

M. Foshuiteach

go gcloise mé   go gcloise tú   go gcloise sé, sí
go gcloisimid   go gcloise sibh   go gcloise siad   go gcloistear

Ainm Br. : cloisteáil, cluinstin   **Aid. Bhr. :** cloiste, cluinte

San Aimsir Chaite úsáidtear **ar, níor, nár, gur, cár.**

Diúltach : ní chloiseann, ní chloiseadh, níor chuala, ní chloisfidh, ní chloisfeadh, ná cloiseadh, nár chlóise.

Saorbhriathra Diúltacha : ní chloistear, ní chloistí, níor chualathas, ní chloisfear, ní chloisfí, ná cloistear, nár chloistear.

Cluin

Is féidir *cluin* a chur in áit *clois*, thuas. *Chuala* an Aimsir Chaite.

NA BRIATHRA NEAMHRIALTA

4. Déan

A. Láithreach	A. Ghnáthchaite	A. Chaite
1. déanaim	dhéanainn	rinne (dhein) mé
2. déanann tú	dhéantá	rinne (dhein) tú
3. déanann sé, sí	dhéanadh sé, sí	rinne (dhein) sé, sí
1. déanaimid	dhéanaimis	rinneamar (dheineamar)
2. déanann sibh	dhéanadh sibh	rinne (dhein) sibh
3. déanann siad	dhéanaidís	rinne (dhein) siad
S. déantar	dhéantaí	rinneadh, (deineadh)

A. Fháis.	M. Coinn.	M. Ord.	M. Fosh.
1. déanfaidh mé	dhéanfainn	déanaim	go ndéana mé
2. déanfaidh tú	dhéanfá	déan	go ndéana tú
3. déanfaidh sé, sí	dhéanfadh sé, sí	déanadh sé, sí	go ndéana sé, sí
1. déanfaimid	dhéanfaimis	déanaimis	go ndéanaimid
2. déanfaidh sibh	dhéanfadh sibh	déanaigí	go ndéana sibh
3. déanfaidh siad	dhéanfaidís	déanaidís	go ndéana siad
S. déanfar	dhéanfaí	déantar	go ndéantar

Ainm Br. : déanamh   **Aidiacht Bhr. :** déanta

Aimsir Chaite—Foirm Dhiúltach

ní dhearna mé	ní dhearna tú	ní dhearna sé, sí
ní dhearnamar	ní dhearna sibh	ní dhearna siad

nó

níor dhein mé	níor dhein tú	níor dhein sé, sí
níor dheineamar	níor dhein sibh	níor dhein siad

Saorbhriathra Diúltacha : ní dhéantar, ní dhéantaí, ní dhearnadh (níor deineadh), ní dhéanfar, ní dhéanfaí, ná déantar, nár dhéantar.

18

NA BRIATHRA NEAMHRIALTA

5. Faigh

A. Láithreach	A. Ghnáthchaite	A. Chaite
1. faighim	d'fhaighinn	fuair mé
2. faigheann tú	d'fhaighteá	fuair tú
3. faigheann sé, sí	d'fhaigheadh sé, sí	fuair sé, sí
1. faighimid	d'fhaighimis	fuaireamar
2. faigheann sibh	d'fhaigheadh sibh	fuair sibh
3. faigheann siad	d'fhaighidís	fuair siad
S. faightear	d'fhaightí	fuarthas

A. Fháistineach	M. Coinníollach	M. Ordaitheach
1. gheobhaidh mé	gheobhainn	faighim
2. gheobhaidh tú	gheofá	faigh
3. gheobhaidh sé, sí	gheobhadh sé, sí	faigheadh sé, sí
1. gheobhaimid	gheobhaimis	faighimis
2. gheobhaidh sibh	gheobhadh sibh	faighigí
3. gheobhaidh siad	gheobhaidís	faighidís
S. gheofar	gheofaí	faightear

M. Fosh. go bhfaighe mé, go bhfaighe tú, go bhfaighe sé, sí, go bhfaighimid, go bhfaighe sibh, go bhfaighe siad, go bhfaightear.

Ainm Briathartha : fáil   **Aidiacht Bhriathartha :** faighte

Diúltach

A. Láithreach	ní fhaighim	ní fhaigheann tú, srl.
A. Chaite	ní bhfuair mé	ní bhfuair tú, srl.
A. Ghnáthchaite	ní fhaighinn	ní fhaighteá, srl.
A. Fháistineach	ní bhfaighidh mé	ní bhfaighidh tú, srl.
M. Coinníollach	ní bhfaighinn	ní bhfaighfeá, srl.

Saorbhriathra Diúltacha : ní fhaightear, ní fhaightí, ní bhfuarthas, ní bhfaighfear, ní bhfaighfí, ná faightear, nár fhaightear.

NA BRIATHRA NEAMHRIALTA

6. Feic

A. Láithreach	A. Ghnáthchaite	A. Chaite
1. feicim (chím)	d'fheicinn	chonaic mé
2. feiceann (chíonn) tú	d'fheicteá	chonaic tú
3. feiceann (chíonn) sé, sí	d'fheiceadh sé, sí	chonaic sé, sí
1. feicimid (chímid)	d'fheicimis	chonaiceamar
2. feiceann (chíonn) sibh	d'fheiceadh sibh	chonaic sibh
3. feiceann (chíonn) siad	d'fheicidís	chonaic siad
S. feictear (chítear)	d'fheictí	chonacthas

A. Fháistineach	M. Coinníollach	M. Ordaitheach
1. feicfidh (chífidh) mé	d'fheicfinn	feicim
2. feicfidh (chífidh) tú	d'fheicfeá	feic
3. feicfidh (chífidh) sé, sí	d'fheicfeadh sé, sí	feiceadh sé, sí
1. feicfimid (chífimid)	d'fheicfimis	feicimis
2. feicfidh (chífidh) sibh	d'fheicfeadh sibh	feicigí
3. feicfidh (chífidh) siad	d'fheicfidís	feicidís
S. feicfear (chífear)	d'fheicfí	feictear

M. Fosh. go bhfeice mé   go bhfeice tú   go bhfeice sé, sí
         go bhfeicimid   go bhfeice sibh   go bhfeice siad
                go bhfeictear

Ainm Br. : feiceáil   **Aidiacht Bhr. :** feicthe

Aimsir Chaite—Foirm Dhiúltach

ní fhaca mé	ní fhaca tú	ní fhaca sé, sí
ní fhacamar	ní fhaca sibh	ní fhaca siad

Diúltach : ní fheiceann, ní fheiceadh, ní fhaca, ní fheicfidh, ní fheicfeadh, ná feiceadh, nár fheice.

Saorbhriathra Diúltacha : ní fheictear, ní fheictí, ní fhacthas, ní fheicfear, ní fheicfí, ná feictear, nár fheictear.

37

19

NA BRIATHRA NEAMHRIALTA

7. Ith

A. Láithreach	A. Ghnáthchaite	A. Chaite
1. ithim	d'ithinn	d'ith mé
2. itheann tú	d'iteá	d'ith tú
3. itheann sé, sí	d'itheadh sé, sí	d'ith sé, sí
1. ithimid	d'ithimis	d'itheamar
2. itheann sibh	d'itheadh sibh	d'ith sibh
3. itheann siad	d'ithidís	d'ith siad
S. itear	d'ití	itheadh

A. Fháistineach	M. Coinníollach	M. Ordaitheach
1. íosfaidh mé	d'íosfainn	ithim
2. íosfaidh tú	d'íosfá	ith
3. íosfaidh sé, sí	d'íosfadh sé, sí	itheadh sé, sí
1. íosfaimid	d'íosfaimis	ithimis
2. íosfaidh sibh	d'íosfadh sibh	ithigí
3. íosfaidh siad	d'íosfaidís	ithidís
S. íosfar	d'íosfaí	itear

M. Fosh. go n-ithe mé   go n-ithe tú   go n-ithe sé, sí
          go n-ithimid   go n-ithe sibh   go n-ithe siad
                     go n-itear

Ainm Briathartha : ithe   **Aidiacht Bhriathartha :** ite
San Aimsir Chaite úsáidtear **ar, níor, nár, gur, cár.**

Diúltach : ní itheann, ní itheadh, níor ith, ní íosfaidh, ní íosfadh, ná hitheadh, nár ithe.

Saorbhriathra Diúltacha : ní itear, ní ití, níor itheadh, ní íosfar, ní íosfaí, ná hitear, nár itear.

NA BRIATHRA NEAMHRIALTA

8. Tabhair

A. Láithreach	A. Ghnáthchaite	A. Chaite
1. tugaim	thugainn	thug mé
2. tugann tú	thugtá	thug tú
3. tugann sé, sí	thugadh sé, sí	thug sé, sí
1. tugaimid	thugaimis	thugamar
2. tugann sibh	thugadh sibh	thug sibh
3. tugann siad	thugaidís	thug siad
S. tugtar	thugtaí	tugadh

A. Fháistineach	M. Coinníollach	M. Ordaitheach
1. tabharfaidh mé	thabharfainn	tugaim
2. tabharfaidh tú	thabharfá	tabhair
3. tabharfaidh sé, sí	thabharfadh sé, sí	tugadh sé, sí
1. tabharfaimid	thabharfaimis	tugaimis
2. tabharfaidh sibh	thabharfadh sibh	tugaigí
3. tabharfaidh siad	thabharfaidís	tugaidís
S. tabharfar	thabharfaí	tugtar

M. Fosh. go dtuga mé   go dtuga tú   go dtuga sé, sí

         go dtugaimid   go dtuga sibh   go dtuga siad

                go dtugtar

     Ainm Br. : tabhairt   **Aidiacht Bhr. :** tugtha

San Aimsir Chaite úsáidtear **ar, níor, nár, gur, cár.**

Diúltach : ní thugann, ní thugadh, níor thug, ní thabharfaidh, ní thabharfadh, ná tugadh, nár thuga.

Saorbhriathra Diúltacha : ní thugtar, ní thugtaí, níor tugadh, ní thabharfar, ní thabharfaí, ná tugtar, nár thugtar.

20

NA BRIATHRA NEAMHRIALTA

9. Tar

A. Láithreach	A. Ghnáthchaite	A. Chaite
1. tagaim	thagainn	tháinig mé
2. tagann tú	thagtá	tháinig tú
3. tagann sé, sí	thagadh sé, sí	tháinig sé, sí
1. tagaimid	thagaimis	thángamar
2. tagann sibh	thagadh sibh	tháinig sibh
3. tagann siad	thagaidís	tháinig siad
S. tagtar	thagtaí	thángthas

A. Fháistineach	M. Coinníollach	M. Ordaitheach
1. tiocfaidh mé	thiocfainn	tagaim
2. tiocfaidh tú	thiocfá	tar
3. tiocfaidh sé, sí	thiocfadh sé, sí	tagadh sé, sí
1. tiocfaimid	thiocfaimis	tagaimis
2. tiocfaidh sibh	thiocfadh sibh	tagaigí
3. tiocfaidh siad	thiocfaidís	tagaidís
S. tiocfar	thiocfaí	tagtar

M. Fosh. go dtaga mé   go dtaga tú   go dtaga sé, sí
       go dtagaimid   go dtaga sibh   go dtaga siad
             go dtagtar

Ainm Br. : teacht   **Aidiacht Bhr. :** tagtha
San Aimsir Chaite úsáidtear **ar, níor, nár, gur, cár.**

Diúltach : ní thagann, ní thagadh, níor tháinig, ní thiocfaidh, ní thiocfadh, ná tagadh, nár thaga.

Saorbhriathra Diúltacha : ní thagtar, ní thagtaí, níor thángthas, ní thiocfar, ní thiocfaí, ná tagtar, nár thagtar.

NA BRIATHRA NEAMHRIALTA

10. Téigh

A. Láithreach	A. Ghnáthchaite	A. Chaite
1. téim	théinn	chuaigh mé
2. téann tú	théiteá	chuaigh tú
3. téann sé, sí	théadh sé, sí	chuaigh sé, sí
1. téimid	théimis	chuamar
2. téann sibh	théadh sibh	chuaigh sibh
3. téann siad	théidís	chuaigh siad
S. téitear	théití	chuathas

A. Fháistineach	M. Coinníollach	M. Ordaitheach
1. rachaidh mé	rachainn	téim
2. rachaidh tú	rachfá	téigh
3. rachaidh sé, sí	rachadh sé, sí	téadh sé, sí
1. rachaimid	rachaimis	téimis
2. rachaidh sibh	rachadh sibh	téigí
3. rachaidh siad	rachaidís	téidís
S. rachfar	rachfaí	téitear

M. Fosh. go dté mé   go dté tú   go dté sé, sí
      go dtéimid   go dté sibh   go dté siad
             go dtéitear

Ainm Br. : dul   **Aidiacht Bhr. :** dulta

Aimsir Chaite—Foirm Dhiúltach

ní dheachaigh mé   ní dheachaigh tú   ní dheachaigh sé, sí
ní dheachamar   ní dheachaigh sibh   ní dheachaigh siad

Diúltach : ní théann, ní théadh, ní dheachaigh, ní rachaidh, ní rachadh, ná téadh, nár thé.

Saorbhriathra Diúltacha : ní théitear, ní théití, ní dheachthas, ní rachfar, ní rachfaí, ná téitear, nár théitear.

NA BRIATHRA NEAMHRIALTA—CLEACHTADH

1. Abair

Tá na briathra seo a leanas san Aimsir Fháistineach, scríobh san Aimsir Ghnáthchaite iad.

1. Cad déarfaidh sé ? 2. Déarfaimid an méid sin leis. 3. Is é a déarfaidh mé leis . . . 4. Déarfar gurbh é féin a rinne é. 5. An ndéarfaidh tú leis gan a bheith déanach ?

2. Beir

Tá ranna áirithe den bhriathar *cuir* anseo :

ná cuir, chuirimis, chuirfinn, cur, cuireadh, go gcuire tú, níor chuir sé, cuirimid, cuirfimid, cuirtear.
Scríobh na ranna céanna den bhriathar *beir*.

3. Clois

Líon na bearnaí atá sna habairtí seo a leanas :

1. Nuair a . . . an clog rithimid isteach sa scoil. 2. Nuair a . . . . . . an clog inné ritheamar isteach. 3. An . . . an clog dá mbeifeá bodhar ? Ní chloisfinn. 4. An féidir leat an clog a . . . ? Is féidir. 5. Ná . . . (mé) focal eile asat.

4. Déan

Líon na bearnaí atá sna habairtí seo a leanas :

1. An . . . tú aon obair thinteáin aréir ? Rinne. 2. Cad tá á . . . agat ansin ? Tá litir á scríobh agam. 3. Bhfuil an obair . . . agat fós ? Níl. 4. An . . . teachtaireacht dom ? Dhéanfainn agus fáilte. 5. Go . . . Do thoil ar an talamh mar a dhéantar ar neamh.

5. Faigh

Líon na bearnaí sna habairtí seo a leanas :

1. Tá mo pheann ar iarraidh, ní féidir liom é a . . . 2. Nach bhfuair tú fós é ? Ní . . . 3. An bhfaightear mórán guail in Éirinn ? Ní . . . 4. An bhfaighidh tú bás ? . . . 5. Go . . . tú do rún.

6. Feic

Líon na bearnaí atá sna habairtí seo a leanas :
1. Nuair a bhí mé ar an tsráid inné cé . . . ach Séamas. 2. " Is leigheas do shúile tinne tú a . . .anseo," arsa mise. 3. ". . . dom gur ag magadh fúm atá tú," arsa Séamas. 4. " Ní mór dom imeacht anois . . . mé amárach thú." 5. " Nár . . . tú lá bocht go deo," arsa Séamas.

7. Ith

Tá ranna áirithe den bhriathar *dún* **anseo :**
ná dún, dhúnfainn, go ndúna sé, dúnfar, dhúnaimis, dúnta, ar dhún sé?, dúnadh, ní dhúntar, nár dhúna sé.
Scríobh na ranna céanna den bhriathar *ith.*

8. Tabhair

Líon na bearnaí atá sna habairtí seo a leanas :
1. An dtabharfá do rothar ar iasacht dom amárach, más é do thoil é? . . ., agus fáilte. 2. An . . . tú ar iasacht go minic é? Ní . . . 3. An dtugtar feoil do naíonáin? . . . 4. An . . . £20 ar chóta nua? 5. Go . . . Dia ciall duit !

9. Tar

Líon na bearnaí atá sna habairtí seo a leanas :
1. Ar . . . fear an phoist fós? Níor tháinig. 2. Tar tusa linn amárach, cibé ar bith, is cuma faoi na buachaillí eile, (tar : siad) nó ná (tar : siad) de réir mar is fearr leo féin. 3. An . . . sibh linn amárach? Ní thiocfaimid. 4. Níor tháinig sé inniu agus ní dócha go . . . sé amárach. 5. Nár (tar) sé ar ais go ceann tamaill.

10. Téigh

Líon na bearnaí atá sna habairtí seo a leanas :
1. An . . . tú go dtí an cineama go minic? Ní théim. 2. An rachfá isteach i reilig i lár na hoíche? . . . 3. (Téigh) m'athair ag iascach gach Satharn anuraidh. 4. An ndeachaigh tú go hOileán Mhanann riamh? . . . 5. Go . . . tú slán abhaile.

21

MÁ AGUS DÁ

Tá dhá chónasc ann, **má** agus **dá,** a leanann coinníoll nó cur i gcás, iad.

Má tá an cur i gcás fíor, nó cosúil leis an bhfírinne, baintear feidhm as **má.** *Mura bhfuil* cosúlacht na fírinne air, baintear feidhm as **dá.**

> I ndiaidh **má** úsáidtear an Modh *Táscach.*
> I ndiaidh **dá** úsáidtear an Modh *Coinníollach.*
> **mura(r)** an diúltach do **má** agus **dá.**

Is í an fhoirm *neamhspleách* den bhriathar a leanann **má** agus **séimhítear** an túschonsan.

> (Ní shéimhítear *deir, dúirt, fuair, tá.*)

Is í an fhoirm *spleách* den bhriathar a leanann **dá** agus **mura** agus **uraítear** an túschonsan. Cuirtear **n-** roimh thúsghuta.

Má tá sé ina chodladh, ná múscail é.

Má bhí sé ann, ní fhaca mé é.

Má fhaigheann sé milseáin, itheann sé iad go léir.

Mura bhfuil sé ar scoil, tá sé sa bhaile.

Ní raibh sé i láthair, ach **dá mbeadh,** d'fheicfinn é.

Ní cheannóidh mé an rothar ar an luach sin, ach **dá dtabharfadh** sé dom ar £5 é, cheannóinn é.

D'ionsaigh tarbh feirmeoir, ach tháinig a mhadra de rith agus chuir sé ruaig ar an tarbh; **mura mbeadh (murach)** gur tháinig an madra an uair sin is dócha go marófaí an feirmeoir.

Úsáidtear an Aimsir Ghnáthláithreach i ndiaidh **má** chun tagairt a dhéanamh don am atá le teacht:

Má thagann sé anocht, abair leis fanacht liom.

Má bhíonn sé fliuch amárach, ní rachaimid amach.

Má imíonn sé go luath, beidh sé in am.

An Chopail i ndiaidh *Má* agus *Dá*.

I ndiaidh **má** úsáidtear an Aimsir Láithreach den Chopail, **is**, nó an Aimsir Chaite, **ba**. I ndiaidh **dá** úsáidtear an Modh Coinníollach, **ba**. **Mura(b)**, **murar(bh)** an diúltach :

Más é Seán é, abair leis teacht anseo.

Murab é d'athair é, cé hé ?

Mura maith leat é, ná ceannaigh é.

Murar mhiste leat é, ba mhaith liom dul abhaile.

Dá mba mhaith leat é, d'fhéadfainn é a fháil duit.

Obair le déanamh

A. Cuir an fhoirm cheart de gach briathar sna habairtí seo :

1. Má (tar) sé inniu, gheobhaidh sé an páipéar dom.
2. Má (faigh) Seán é, brisfidh sé é.
3. Má (cuir) sé an glas ar an doras, ní féidir linn dul amach.
4. Má (abair) Seán sin, níor inis sé an fhírinne.
5. Má (is) duine saibhir é, cén fáth nach bhfuil sé gléasta níos fearr ?
6. Dá (tar) sé inné, gheobhadh sé an páipéar dom.
7. Dá (tá) an t-airgead aige, cheannódh sé an leabhar.
8. D'íosfá é, dá (is) mhaith leat é.
9. Dá (abair) leo é a dhéanamh, dhéanfaidís é.
10. Rachadh an fear sin abhaile dá (faigh) sé cead.

B. Cuir *má* nó *dá* sna habairtí seo de réir mar a oirfidh sé agus athraigh an briathar dá réir :

1. (Faigh) sí scilling, caitheann sí ar mhilseáin í.
2. (Feic) tú é, abair leis go raibh mé ag cur a thuairisce.
3. (Téigh) Máire liom, rachainn ann le fonn.
4. (Ith) an méid sin, bheinn tinn.
5. (Bí) siad ann, ní fhaca aon duine iad.
6. (Clois) a leithéid, ní chreidfinn é.
7. (Is) fearr leat é sin a dhéanamh, déan é.
8. (Tabhair) £5 dó ar an rothar, bheadh sé sásta.
9. (Bí) sé fliuch amárach, ní rachaimid amach.
10. (Déan) sé sin, chuirfeadh sé fearg orm.

22

INSINT NEAMHDHÍREACH NÓ CLAONINSINT—I

Tugtar **Insint Dhíreach** ar abairtí mar seo—
" Tá Seán breoite agus níl sé ar scoil inniu."
Ach má chuirtear focail mar **is dóigh liom, cloisim, deirim,** srl.
roimh abairtí mar sin, ní mór an Fhoirm Spleách den bhriathar a
úsáid. Tugtar **Insint Neamhdhíreach** air sin.
Cloisim **go bhfuil** Seán breoite agus **nach bhfuil** sé ar scoil inniu.

Díreach	Neamhdhíreach
	Deirim
Ní chloisim é.	**nach gcloisim** é.
Bíonn sibh mall go minic.	**go mbíonn sibh** mall go minic.
Gheofar saor é.	**go bhfaighfear** saor é.
Thagadh Art gach oíche anuraidh.	**go dtagadh** Art gach oíche anuraidh.
Níor tháinig sé inné.	**nár tháinig** sé inné.
Ní íosfadh sé é.	**nach n-íosfadh** sé é.
Is fear saibhir é.	**gur fear** saibhir é.
Ní hé an ceacht ceart é.	**nach é** an ceacht ceart é.

Ní mór na *pearsana* a athrú, uaireanta, in Insint Neamhdhíreach—
go dtí an tríú pearsa, de ghnáth.

Caint a deir Seán :	*Deir Seán* :
" **Táim** déanach."	**go bhfuil sé** déanach.
" **Is orm** féin atá an locht."	**gur air** féin atá an locht.
" **Gheobhaidh mise duit** é."	**go bhfaighidh sé** féin dom é.

Má chuirtear aimsir *chaite* na mbriathra **cloisim, deirim, is
dóigh liom,** srl. roimh Insint Dhíreach déantar, de ghnáth—

Aimsir Chaite	den	**Aimsir Láithreach.**
Aimsir Ghnáthchaite	„	**Aimsir Ghnáthláithreach.**
Modh Coinníollach	„	**Aimsir Fháistineach.**

(Ní athraítear an *Aimsir Chaite*, an *Aimsir Ghnáthchaite* ná an *Modh Coinníollach*.)

Díreach	Neamhdhíreach
Caint Sheáin :	*Dúirt Seán* :
" **Ní chloisim** é."	**nár chuala** sé é.
" **Bíonn sibh** mall go minic."	**go mbídís** mall go minic.
" **Gheofar** saor é."	**go bhfaighfí** saor é.
" **Thagadh** Art gach oíche anuraidh."	**go dtagadh** Art gach oíche anuraidh.
" **Níor tháinig** sé inné."	**nár tháinig** sé inné.
" **Ní íosfadh** sé é."	**nach n-íosfadh** sé é.
" **Is fear** saibhir é."	**gurbh** fhear saibhir é.
" **Ní hé** an ceacht ceart é."	**nárbh é** an ceacht ceart é.

Obair le déanamh

A. Cuir *Deirim* roimh gach abairt díobh seo a leanas, agus déan cibé athrú atá riachtanach :

1. Tá sé anseo anois. 2. Bhí sé anseo inné. 3. Is buachaill maith é. 4. Tiocfaidh sé amárach. 5. Chuala mé an scéal sin.

B. Cuir na focail *Deir Máire lena haintín* roimh na habairtí seo a leanas, agus athraigh iad dá réir :

1. Éirím ar a hocht a chlog gach maidin. 2. Téim ar scoil ar a naoi. 3. Bím ar scoil gach lá beagnach. 4. Osclaím mo leabhar ar scoil agus léim an ceacht. 5. Ithim lón i lár an lae.

C. Cuir na focail *Dúirt Seán* roimh na habairtí seo a leanas, agus athraigh iad dá réir :

1. Tá rothar nua agam. 2. Thug m'athair deich bpunt air. 3. Bhí mé ag rothaíocht air ar feadh uair a chloig inné. 4. Ghlan mé an rothar nuair a d'fhill mé abhaile. 5. Níor thug mé liom fós é go dtí an scoil. 6. D'fhág mé sa bhaile é. 7. Is fearr liom rothaíocht ná siúl. 8. Rachaidh mé ar mo rothar faoin tuath sa samhradh. 9. Níor polladh mo rothar fós. 10. Tá súil agam nach bpollfar é.

23

INSINT NEAMHDHÍREACH NÓ CLAONINSINT—II

An Modh Ordaitheach

In Insint Neamhdhíreach déantar **ainm briathartha** den Mhodh Ordaitheach. Más abairt *dhiúltach í* cuirtear **gan** roimh an ainm briathartha :

Dúirt mé le Seán :

Éirigh agus **téigh** amach.	**éirí** agus **dul** amach.
Ná tar ar ais.	**gan teacht** ar ais.
Ná bí ag caint.	**gan a bheith** ag caint.

Má bhíonn cuspóir ag an mbriathar cuirtear *roimh* an ainm briathartha é. Úsáidtear **gan** ·in orduithe diúltacha.

Dúirt mé le Seán :

Dún an doras.	an doras **a dhúnadh.**
Faigh do leabhar.	**a** leabhar **a fháil.**
Ná hith an t-úll sin.	**gan** an t-úll sin **a ithe.**

Má agus Dá i gClaoninsint

In Insint Neamhdhíreach **láithreach** ní dhéantar aon athrú ar **má** ná ar an mbriathar ina dhiaidh.

In Insint Neamhdhíreach **chaite** athraítear **má** go **dá**, de ghnáth, agus cuirtear an briathar sa **Mhodh Coinníollach.**

Díreach	**Neamhdhíreach**
Má thugann sé a rothar ar iasacht dom **beidh** mé anbhuíoch de.	**Deirim go mbeidh** mé anbhuíoch de, **má thugann** sé a rothar ar iasacht dom.
Má thugann sé a rothar ar iasacht dom **beidh** mé anbhuíoch de.	**Dúirt mé dá dtabharfadh** sé a rothar ar iasacht dom **go mbeinn** an-bhuíoch de.

Caithfear na dobhriathra ama (inniu, inné, srl.) agus na forainm-
neacha taispeántacha (seo, sin) a athrú in Insint Neamhdhíreach
chaite.

Díreach	**Neamhdhíreach**
inniu : inné	an lá sin : an lá roimhe sin.
amárach : anocht	an lá ina dhiaidh sin : an oíche sin.
anois : aréir	ansin (an uair sin) : an oíche roimhe sin.
seo : sin	sin : siúd nó úd.
anseo : ansin	ansin : ansiúd.

Dúirt Seán :

Tiocfaidh Art **anocht** nó **amárach.**	go dtiocfadh Art **an oíche sin** nó **an lá ina dhiaidh sin.**
Tá sé **anseo anois.**	go raibh sé **ansin an uair sin.**
Ní raibh mé ann **aréir.**	nach raibh sé ann **an oíche roimhe sin.**

Obair le déanamh

A. Cuir na focail *Dúirt sé liom* **roimh na briathra seo a leanas agus athraigh iad dá réir :**

1. Éirigh. 2. Téigh amach. 3. Tar isteach. 4. Ná suigh síos.
5. Ná bí ag caint. 6. Oscail an doras. 7. Dún an fhuinneog. 8. Faigh
píosa cailce dom. 9. Ith an t-arán. 10. Ól an tae.

B. Cuir na focail *Dúirt Seán* **roimh na habairtí seo a leanas, agus déan aon athrú atá riachtanach :**

1. Níor tháinig an beart inné. 2. Tiocfaidh an beart inniu, b'fhéidir.
3. Ní bheidh mé sa bhaile an tráthnóna seo. 4. Gheobhaidh mé an
beart amárach. 5. Déan anois é. 6. Bhí an aimsir go dona aréir.
7. Tabhair an leabhar seo do Mháire. 8. Fág an mála anseo. 9. Ná
caith amach na seanpháipéir sin. 10. Cuir ansin iad.

C. Cuir *Deirim* **roimh na habairtí seo agus déan aon athrú atá riachtanach. Ansin athscríobh na habairtí an dara huair ag cur** *Dúirt mé* **roimh gach abairt, agus athraigh iad dá réir :**

1. Má fhaigheann sé airgead, caitheann sé é go léir. 2. Má osclaíonn
tú an doras, rithfidh an madra amach.

24

NA TUISIL

Tá cúig Thuiseal sa Ghaeilge—an tAinmneach, an Cuspóireach, an Tabharthach, an Ginideach agus an Gairmeach.

An Tuiseal Ainmneach

Bíonn ainmfhocal nó forainm sa *Tuiseal Ainmneach* nuair is é an tAinmní san abairt é :

Tháinig Seán. D'imigh Máire.
Thit an capall agus d'éirigh sé arís.

Tá na focail *Seán, Máire, capall, sé* sa Tuiseal Ainmneach.

An Tuiseal Cuspóireach.

Bíonn ainmfhocal nó forainm sa *Tuiseal Cuspóireach* nuair is é an Cuspóir san abairt é :

Dhún Seán an doras agus d'oscail sé an fhuinneog.
Cheannaigh Máire úll agus d'ith sí é.

Tá na focail *doras, fuinneog, úll, é,* sa Tuiseal Cuspóireach.

An Tuiseal Tabharthach

Leanann an *Tuiseal Tabharthach* an chuid is mó de na réamh-fhocail shimplí :

ag, ar, as, chuig, de, do, faoi, go, i, le, mar, ó, roimh, thar, trí, um :

ag an tine, ar scoil, as baile, chuig Máire, faoi rún, go Gaillimh, i siopa, le meas mór, um Nollaig.

Tá na hainmfhocail *tine, scoil, baile, Máire, rún, Gaillimh, siopa, meas, Nollaig* sa Tuiseal Tabharthach.

Is ionann, de ghnáth, foirm an ainmfhocail sna trí Thuiseal sin Ainmneach, Cuspóireach, Tabharthach.

(Féach Ceachtanna 28-32).

An Tuiseal Ginideach

Nuair a thagann dhá ainmfhocal le chéile nach ionann ciall dóibh, ach gaol éigin eatarthu, bíonn an dara ceann sa *Tuiseal Ginideach*, de ghnáth.

Déantar athrú foirme sa Tuiseal Ginideach ar an gcuid is mó de na hainmfhocail de réir an Díochlaonta :

1*ú Díoch.* : ceol—leabhar ceoil.   3*ú Díoch.* : móin—fód móna.
2*ú Díoch.* : spúnóg—lán spúnóige. 5*ú Díoch.* : lacha—ubh lachan.
(*Féach Ceachtanna* 27–32)

An Tuiseal Gairmeach

(*a*) Nuair a labhraítear le duine ní mór an mionfhocal **a** a chur roimh a ainm agus an túschonsan a **shéimhiú** :

a Bhríd ! a Mháire ! a Sheoirse ! a Philib ! a mháistir !
a Shiúr ! a Bhráthair ! a bhuachaillí ! a chailíní ! a chairde !

(*b*) Más **guta** an chéad litir ní athraítear sa Ghairmeach é :
A Antaine ! a Éanna ! a Eoin ! a Úna ! a Eilís !

(*c*) Má chríochnaíonn ainm fir ar chonsan *leathan*—Brian, Mícheál, Séamas, Seán, etc.—caolaítear an consan deiridh.
A Airt ! a Bhriain ! a Mhíchíl ! a Shéamais ! a Sheáin !
Eisceacht : a Liam !
Tugtar an *Tuiseal Gairmeach* ar an bhfoirm seo den ainmfhocal.

Obair le déanamh

A. Abair cén Tuiseal ina bhfuil gach ainmfhocal a bhfuil cló trom air anseo thíos :

1. D'ól an **cat** an bainne. 2. Tá ocras ar an **éan**. 3. Oscail an **doras**. 4. Tá Seán ag an **doras**. 5. Chonaic mé cluiche **peile** inné. 6. Ní raibh mé in **eitleán** riamh. 7. Scríobhaim **Gaeilge** gach lá. 8. Tar anseo, a **Shíle**. 9. Rinne mé fear **sneachta** uair amháin. 10. D'ith mé ubh **lachan**.

B. Scríobh na hainmfhocail seo sa Tuiseal Gairmeach :
Eoin, Labhrás, Peadar, Pilib, Tadhg ;
Caitlín, Íde, Nóra, Máirín, Síle.

51

25

AN tALT

Níl ach alt amháin sa Ghaeilge, **an**. **Na** an ghné atá air san Uimhir Iolra :

> **an** fear ; **an** capall ; **an** madra
> **na** buachaillí ; **na** cailíní ; **na** madraí

Tá gach ainmfhocal sa Ghaeilge **Firinscneach** nó **Baininscneach**. I gcuid de na tuisil déantar athrú ar thúschonsan nó ar thúsghuta an ainmfhocail i ndiaidh an Ailt de réir mar a bhíonn sé firinscneach nó baininscneach.

Uimhir Uatha—Ainmfhocal Firinscneach

1. Sa Tuiseal *Ainmneach* agus sa Tuiseal *Cuspóireach* cuirtear **t**-roimh thúsghuta i ndiaidh an Ailt :

Ain. : Tá an **t**-éan ag canadh. Léim an **t**-iasc as an uisce.
Cus. : Ith an **t**-arán. Scuab an **t**-urlár.

2. Sa Tuiseal *Ginideach* **séimhítear** túschonsan an ainmfhocail i ndiaidh an Ailt, agus cuirtear **t** roimh **s** :

> Bóna an **ch**óta.   Lán an **mh**ála.
> Doras an **ts**eomra.   Fear an **ts**iopa.
> (Ní shéimhítear *t* nó *d* i ndiaidh an Ailt)

3. Sa Tuiseal *Tabharthach* **uraítear** an túschonsan de ghnáth i ndiaidh an Ailt :

> ar an **m**bord ; ag an **n**geata ; faoin **g**crann.

Uimhir Uatha—Ainmfhocal Baininscneach

1. Sa Tuiseal *Ainmneach* agus sa Tuiseal *Cuspóireach* **séimhítear** túschonsan an ainmfhocail i ndiaidh an Ailt agus cuirtear **t** roimh **s** :

Ain. : Rug an **ch**earc ubh.   Tá an **ts**ráid glan.
Cus. : Inis an **fh**írinne.   Faigh an **ts**ubh.

2. Sa Tuiseal *Ginideach* úsáidtear **na.** Cuirtear **h** roimh thúsghuta i ndiaidh **na :**

Bainne **na** bó.   Tonnta **na** farraige.

Muintir **na h**áite.   Dorchadas **na h**oíche.

3. Sa Tuiseal *Tabharthach* (i ndiaidh an Ailt) **uraítear** an túschonsan, de ghnáth. Cuirtear **t** roimh **s :**

ar an **m**bó ; ag an **g**caora ; as an **b**páirc.

ar an **ts**ráid ; ar an **ts**rón ; faoin **ts**úil.

Uimhir Iolra—Firinscneach agus Baininscneach

Cuirtear **h** roimh thúsghuta i ndiaidh **na** san *Ainmneach*, *Cuspóireach*, agus *Tabharthach* :

Ain. :   Tá na **h**uain ag léim. Tá na **h**oifigí dúnta.

Cus. :   Léigh na **h**ainmneacha. D'ith sé na **h**oráistí go léir.

Tabh. :   Ar dhíol tú as na **h**úlla fós ? Éist leis na **h**amhráin.

Sa *Ghinideach Iolra* **uraítear** túschonsan an ainmfhocail i ndiaidh **na,** agus cuirtear **n-** roimh thúsghuta :

Seomra **na g**Cótaí ; Scoil **na g**Cailíní ; caint **na n**daoine.

Gairdín **na n**Ainmhithe ; luach **na n-**oráistí ; cíos **na n-**oifigí.

Obair le déanamh

A. Cuir an t-alt roimh na hainmfhocail fhirinscneacha seo :

1. Thug sé . . . (airgead) dom. 2. Tá hata ard ar . . . (fear). 3. Cé . . . (ainm) atá ort? 4. Cá bhfuil eochair . . . (mála)? 5. Dún doras . . . (seomra).

B. Cuir an t-alt roimh na hainmfhocail bhaininscneacha seo:

1. Tabhair . . . (feoil) sin don chat. 2. Bhí . . . (aimsir) go dona i mbliana. 3. Tá súile gorma ag . . . (bábóg). 4. Bhuail sé buille sa . . . (srón) air. 5. Goideadh rothar . . . (banaltra).

C. Cuir an t-alt roimh na hiolraí seo :

1. D'ith Seán . . . (brioscaí) go léir. 2. Chonaic mé marcanna . . . (oidí). 3. Rith . . . (asail) tríd an bpáirc. 4. Éist le caint . . . (cailíní). 5. An maith leat . . . (oícheanta) fada? 6. Cá bhfuil sac . . . (prátaí)? 7. Cén luach atá ar . . . (oráistí)? 8. Féach poll . . . (coiníní). 9. Ná lig . . . (sicíní) amach. 10. Tá obair . . . (daltaí) go maith.

26

AN tAINMFHOCAL—TUISEAL TABHARTHACH

Na Réamhfhocail Shimplí

Leanann **séimhiú** cuid mhaith de na réamhfhocail san uatha (gan an alt). Tá roinnt eile nach leanann séimhiú ná urú iad. Leanann **urú** réamhfhocal amháin : **i.**

Séimhiú			*Gan Séimhiú*	
ar	**faoi**	**roimh**	**ag**	**go**
de	**mar**	**trí**	**as**	**le**
do	**ó**	**um**	**chuig**	**thar**

Séimhiú : **Ar** chapall, **de** bhalla, **do** Sheán, **faoi** chrann, **mar** shampla, **ó** mhaidin, **roimh** Mháire, **trí** Bhéarla, **um** Cháisc.
Gan Séimhiú : **ag** baile, **as** baile, **chuig** Peadar, **go** Corcaigh, **le** Mícheál, **thar** barr.

Go, Le, I, gan an Alt

Cuirtear **h** roimh thúsghuta i ndiaidh **go** agus **le** :
ó áit **go h**áit ; glan **le h**uisce é.
Uraítear túschonsan i ndiaidh **i** ; déantar **in** de roimh ghuta :
i bpáirc, **i m**bosca ; **in** uisce, **in** am.

Na Réamhfhocail roimh an Alt agus an Ainmfhocal Consan Tosaigh

Sa *Tuiseal Tabharthach Uatha* má bhíonn réamhfhocal roimh an Alt, leanann **urú** é, de ghnáth :
ar an **bh**fear, as an **m**bosca, thar an **n**geata.
(Ní uraítear **t** nó **d** i ndiaidh an Ailt : ar an tine, ag an doras.)
Má chuirtear *de, do, faoi, ó* roimh an Alt deirtear **den, don, faoin, ón.** Leanann *séimhiú* **den, don** : den **ch**rann ; don **mh**uc.
Má tá ainmfhocal dar tús **s** *baininscneach* cuirtear **t** roimhe i ndiaidh an Ailt sa *Tuiseal Tabharthach Uatha* :
leis an **t**slat, don **t**Siúr, sa **t**súil, den **t**srón.
Más *firinscneach* don ainmfhocal ní chuirtear **t** roimh **s** sa Tabharthach : leis an sagart, ar an sicín, sa seomra, sa samhradh.

Uimhir Iolra

Sa *Tabharthach Iolra* i ndiaidh an réamhfhocail agus an Ailt ní dhéantar aon athrú ar thúschonsan an ainmfhocail :
    ar na fir, as na boscaí, thar na geataí, sna siopaí.

Guta Tosaigh

Sa *Tabharthach Uatha* ní dhéantar aon athrú ar thúsghuta :
    ar an altóir, leis an ubh, as an oifig.

Ach sa *Tabharthach Iolra* cuirtear **h** roimh thúsghuta :
    ar na **h**altóirí, leis na **h**uibheacha, as na **h**oifigí.

Le : I : Trí

Le : Nuair a leanann an tAlt **le,** deirtear **leis an, leis na :**
    leis an gcailín ; **leis na** cailíní.

I : Nuair a leanann an tAlt **i** deirtear **sa** (<ins an) roimh *chonsan* agus **san** (<ins an) roimh *ghuta*, agus roimh **f** má thagann *guta* ina dhiaidh.

Leanann *séimhiú* **sa.**   San iolra deirtear **sna** (ins na) :
    sa ghloine, **san** oíche, **san** fhíon, **sna** hoícheanta.

Trí : Deirtear **tríd** roimh an Alt san Uatha, ach **trí** san Iolra :
    tríd an gcoill ; **trí na** coillte.

Obair le déanamh

Bain na lúibíní de na hainmfhocail seo agus athraigh iad más gá :

A. 1. Ar (Pól), do (Pól), ó (Pól), ag (Pól), le (Pól), chuig (Pól).
   2. Go (Gaillimh), ó (Corcaigh), ó (maidin), de (crann), as (páirc).
   3. Faoi (glas), um (tráthnóna), ó (duine) go (duine), go (Árainn).
   4. I (bád), i (coill), i (am), i (alt), i (poll), i (gort).
   5. Le (ocras), le (olc), le (ola), le (olann), le (uacht), le (ubh).

B. 1. Ar (an bord), faoi (an crann), ag (an tine), ar (an t-urlár).
   2. Ó (an fear), roimh (an gadhar), ar (an t-uan), ar (na huain).
   3. Do (an baile), do (an tsráid), de (an capall), de (an bhean).
   4. I (an t-uisce), i (an fíon), i (an pháirc), i (an siopa), i (an tsúil).
   5. Tríd (an baile), trí (na bailte), le (an t-éan), le (na héin).

27

AN tAINMFHOCAL—TUISEAL GINIDEACH

Má thagann dhá ainmfhocal le chéile nach ionann ciall dóibh, ach gaol éigin eatarthu, cuirtear an dara ceann sa *Tuiseal Ginideach*.

Sa *Tuiseal Ginideach* déantar athrú, de ghnáth, ar chonsan deiridh an ainmfhocail, ach ní athraítear **-ín** ná **guta** deiridh :

teach gloine, uirlisí gréasaí, hata cailín.

Más ainm duine nó áite atá sa *Tuiseal Ginideach*, ní mór an túschonsan a shéimhiú :

Coláiste **Ph**ádraig, leabhar **Mh**áire, Contae **Mh**aigh Eo.

Ainmfhocail Chinnte

Is Ainmfhocal **Cinnte** ainmfhocal dílis : Máire, Éire. Is Ainmfhocal **Cinnte** freisin ainmfhocal coiteann agus an **tAlt** roimhe, nó **mo, do, a, ár, bhur** roimhe :

an madra, mo mhála, a shiopa, ár dteach.

Má thagann **dhá ainmfhocal chinnte** le chéile agus an dara ceann sa Ghinideach, ní chuirtear an tAlt roimh an gcéad cheann, de ghnáth :

geata **an gh**airdín; tafann **an mh**adra; barr **an ch**laí; eochair **mo mh**ála; doras **a sh**iopa; teach **ár n**-uncail.

Sa *Ghinideach Uatha* más *firinscneach* d'ainmfhocal a thagann i ndiaidh an Ailt, **séimhítear** a thúschonsan, (agus cuirtear **t** roimh **s**); más *baininscneach*, ní shéimhítear.

caint **an mh**áistir; tafann **an mh**adra; mias **an t**siúcra. mála **na** banaltra; nead **na h**eala; togha **na** sláinte.

Más **ainm briathartha** a thagann roimh ainmfhocal cuirtear an t-ainmfhocal sa *Tuiseal Ginideach* :

ag imirt cluiche; ag baint coirce; ag ól caife. ag ól **an bh**ainne; ag ithe **an** óráiste; ag ithe **an bh**ia. ag glanadh **na** gloine; ag léamh **na** haiste; ag ní **na** léine.

NA RÉAMHFHOCAIL CHOMHSHUITE

Tá roinnt réamhfhocal comhshuite sa Ghaeilge, i.e. *réamhfhocal simplí agus ainmfhocal* le chéile, m. sh.,

in aice, le haghaidh, os cionn.

Mar gheall ar an ainmfhocal leanann an Tuiseal Ginideach iad. Seo iad na cinn is coitianta díobh :

ar aghaidh	i dtaobh	i ndiaidh
ar feadh	i gceann	i rith
ar fud	i gcoinne	le haghaidh
ar son	i gcomhair	le hais
de réir	i lár	le linn
faoi choinne	i measc	os cionn
faoi dhéin	in aghaidh	os comhair
go ceann	in aice	tar éis

Leanann an Ginideach *chun, timpeall, trasna,* freisin.

ar feadh na hoíche ; le hais an bhalla ; chun na farraige.

Obair le déanamh

A. Bain na lúibíní de na hainmfhocail fhirinscneacha seo :

1. Glas (an geata). 2. Iall (an cú). 3. Laiste (an geata). 4. Blas (an bia). 5. Mic léinn (an coláiste). 6. Lán (an mála). 7. Leabhair (Seoirse). 8. Muintir (Doire). 9. Líonta (an t-iascaire). 10. Dáta (an seic).

B. Bain na lúibíní de na hainmfhocail fhirinscneacha seo :

1. Ag ól (an bainne). 2. Ag déanamh (an gnó). 3. Ag folmhú (an báisín). 4. Ag ithe (an siúcra). 5. Ag dúnadh (an siopa). 6. Ar fud (an paróiste). 7. Tar éis (an cluiche). 8. Le haghaidh (an páiste). 9. I lár (an seomra). 10. I gcomhair (an t-oide).

C. Bain na lúibíní de na hainmfhocail bhaininscneacha seo :

1. Tonnta (an fharraige). 2. Nead (an eala). 3. Togha (an tsláinte). 4. Gaineamh (an trá). 5. Eolas (an tslí). 6. Ar feadh (an oíche). 7. In aice (an tine). 8. Le linn (an tsaoire). 9. Ag moladh (an aiste). 10. Ag baint (an eorna).

28

AN CHÉAD DÍOCHLAONADH

Tá **cúig** dhíochlaonadh den ainmfhocal sa Ghaeilge. Sa Chéad Díochlaonadh tá na hainmfhocail **firinscneach** agus críochnaíonn siad ar chonsan **leathan** sa tuiseal ainmneach. Sa *Tuiseal Ginideach Uatha* **caolaítear** an consan deiridh.

Seo mar a dhíochlaontar ainmfhocal den Chéad Díochlaonadh.

Tuiseal	Uimhir Uatha	Uimhir Iolra
Ain.	d'imigh **an bád**	d'imigh **na báid**
Cus.	chím **an bád**	chím **na báid**
Tabh.	tá seolta **ar an mbád**	tá seolta **ar na báid**
Gin.	tá seolta **an bháid** scaoilte	tá seolta **na mbád** scaoilte

S i dtosach an Ainmfhocail

Ain.	tháinig **an sagart**	tháinig **na sagairt**
Cus.	ní fheicim **an sagart**	ní fheicim **na sagairt**
Tabh.	éist leis **an sagart**	éist leis **na sagairt**
Gin.	comhairle **an tsagairt**	comhairle **na sagart**
Gair.	**a shagairt**	**a shagarta**

Guta i dtosach an Ainmfhocail

Ain.	léim **an t-uan**	léim **na huain**
Cus.	féach **an t-uan**	féach **na huain**
Tabh.	tá olann **ar an uan**	tá olann **ar na huain**
Gin.	chím olann **an uain**	chím olann **na n-uan**

Ainmneacha Fear

Tá roinnt ainmneacha fear sa Chéad Díochlaonadh : Brian, Cathal, Colm, Conn, Éamann, Seán, Séamas, Mícheál, Pól, srl.
Tuiseal Ginideach : Bhriain, Chathail, Choilm, Choinn, Éamainn, Sheáin, Shéamais, Mhíchíl, Phóil, srl.

Athrú Gutaí sa Ghinideach Uatha

ea go **i** : airgead, airgid ; ceann, cinn ; fear, fir.
éa go **éi** : féar, féir ; léann, léinn ; néal, néil ; páipéar, páipéir.
ia go **éi** : cliabh, cléibh ; giall, géill ; iasc, éisc.
io go **í** : díon, dín ; líon, lín ; síol, síl ; tíos, tís.

Obair le déanamh

(Féach an liosta ainmfhocal atá ar lgh. 108-111)

A. Bain na lúibíní de na hainmfhocail seo a leanas :

Claí (adhmad) ; mála (airgead) ; fáinne (ór) ; culaith (éadach) ;
bóthar (iarann) ; lá (earrach) ; lá (samhradh) ; lá (fómhar) ;
lá (geimhreadh) ; tinneas (ceann).

B. Bain na lúibíní de na hainmfhocail seo a leanas :

Cóta (an fear) ; ceann (an capall) ; caint (an garsún) ; tafann
(an gadhar) ; seolta (an bád) ; crónán (an cat) ; ceann (an t-iasc) ;
dath (an t-úll) ; teach (an sagart) ; ag leagan (an crann).

C. Scríobh na hainmfhocail seo san uimhir iolra :

Bóthar, cnoc, doras, éadach, éan, iasc, leanbh, néal, peann, úll.

D. Bain na lúibíní de na hainmfhocail seo a leanas :

Obair (na fir) ; seolta (na báid) ; teach (na sagairt) ; ag treabhadh
(na goirt) ; ag bailiú (na pinn) ; trasna (na cnoic) ; ag ithe (na
húlla) ; glam (na gadhair) ; méileach (na huain) ; ceol (na héin).

E. Bain na lúibíní de na hainmneacha seo a leanas :

Leabhar (Brian) ; rothar (Seán) ; athair (Séamas) ; teach (Pól).

F. Bain na lúibíní de na hainmfhocail seo a leanas :

1. Bhí Seán ag baint (an féar). 2. Tá doras (an séipéal) dúnta.
3. Bhí an feirmeoir ag treabhadh (an gort). 4. Tá nead (an t-éan)
ar bharr (an crann). 5. Bhí sí ag gearradh (an t-éadach). 6. Ná
rith trasna (an bóthar). 7. Éist le caint (an leanbh). 8. Tá ceol
(an t-amhrán) sin agam. 9. Bhí sí ag glanadh (an seomra).
10. Chuamar go barr (an cnoc).

29

AN DARA DÍOCHLAONADH

Sa Dara Díochlaonadh tá na hainmfhocail **baininscneach,** agus críochnaíonn siad ar chonsan. Sa Ghinideach Uatha cuirtear **-e** leis an ainmfhocal. Más leathan don chonsan deiridh caolaítear é.

Tuiseal	U. Uatha	U. Iolra
Ain.	déanann **an bheach** mil	déanann **na beacha** mil
Cus.	féach **an bheach** ag eitilt	féach **na beacha** ag eitilt
Tabh.	tá deifir **ar an mbeach**	tá deifir **ar na beacha**
Gin.	cloisim crónán **na beiche**	cloisim crónán **na mbeach**

Guta i dtosach an Ainmfhocail

A.	tá **an oifig** dúnta	tá **na hoifigí** dúnta
C.	oscail **an oifig**	oscail **na hoifigí**
T.	níl solas **san oifig**	níl solas **sna hoifigí**
G.	tá soilse **na hoifige** múchta	tá soilse **na n-oifigí** múchta

S i dtosach an Ainmfhocail

A.	tá **an tsráid** sin salach	tá **na sráideanna** sin salach
C.	glantar **an tsráid** gach lá	glantar **na sráideanna** gach lá
T.	caitear bruscar **ar an tsráid**	caitear bruscar **ar na sráideanna**
G.	bailítear bruscar **na sráide**	bailítear bruscar **na sráideanna**

-(e)ach i ndeireadh an Ainmfhocail

Má chríochnaíonn ainmfhocal ilsiollach ar **-each** nó **-ach** athraítear **-each** go **-í** agus **-ach** go **-aí** sa ghinideach uatha.

Ain.	thit **an ghirseach**	thit **na girseacha**
Cus.	tóg **an ghirseach**	tóg **na girseacha**
Tabh.	tá pian **ar an ngirseach**	tá pian **ar na girseacha**
Gin.	gortaíodh glúna **na girsí**	gortaíodh glúna **na ngirseach**
Gair.	**a ghirseach,** is trua liom an taisme a tharla duit	**a ghirseacha,** is trua liom an taisme a tharla daoibh

Má chríochnaíonn an uimhir iolra ar **-í, -te, -acha, -anna -t(h)a,** is ionann foirm do na tuisil go léir san iolra, ach má chríochnaíonn an t-ainmneach iolra ar **-a** baintear an **a** sin de sa ghinideach.

Athrú gutaí sa Ghinideach Uatha

ea go **ei :**   dealg, deilge ; nead, neide ; sceach, sceiche.
éa go **éi :**   géag, géige ; méar, méire ; sméar, sméire.
ia go **éi :**   ciall, céille ; grian, gréine ; mias, méise.
ío go **í :**   cíor, círe ; iníon, iníne ; síon, síne.
Eisceacht : cearc, circe.

Tá cúig ainmfhocal ann—**bos, bróg, cluas, cos, lámh**—a gcaolaítear a gconsan deiridh sa Tabharthach Uatha :
ar a **bhois,** ina **bróig,** i do **chluais,** ar do **chois,** i mo **láimh.**

Obair le déanamh
(Féach an liosta ainmfhocal atá ar lgh. 112-115)

Bain na lúibíní de na hainmfhocail seo a leanas in A, B, C, D agus athraigh iad dá réir.

A. Bearradh (gruaig) ; lán (spúnóg) ; luach (pingin) ; crann (fuinseog) ; i lár (coill) ; ag imirt (peil) ; ag cur (fearthainn) ; ag stealladh (báisteach) ; stoirm (toirneach) agus (tintreach).

B. Teas (an ghrian) ; solas (an ghealach) ; barr (an aill) ; sáil (an bhróg) ; obair (an fheirm) ; glór (an chuach) ; ceol (an fhuiseog) ; fuaim (an adharc) ; gloine (an fhuinneog) ; teach (an scoil).

C. Ag caitheamh (clocha) ; ag insint (bréaga) ; ag sileadh (deora) ; ag bailiú (sméara) ; ag lasadh (coinnle) ; ag croitheadh (lámha) ; ag cuartú (neadacha) ; ag marú (lucha) ; cró (muca) ; siopa (bróga).

D. Crónán (na beacha) ; tráth (na ceisteanna) ; imeacht (na fáinleoga) ; luach (na huibheacha) ; cor (na sióga) ; fuaim (na tonnta) ; pianta (na cnámha) ; ag rá (na paidreacha) ; ag deisiú (na bróga) ; trasna (na páirceanna).

E. Scríobh na hainmfhocail seo a leanas san uimhir iolra :
An chluas ; an tsúil ; an ghlúin ; an ordóg ; an long ; an iníon ; an choill ; an tír ; an cheist ; an tsnáthaid.

30

AN TRÍÚ DÍOCHLAONADH

Sa Tríú Díochlaonadh tá an dá inscne le fáil, ach tá formhór na n-ainmfhocal *firinscneach.* Críochnaíonn na hainmfhocail go léir ar chonsan. Sa Ghinideach Uatha cuirtear **-a** leis an ainmfhocal; más caol don chonsan deiridh **leathnaítear** é. Cuirtear foirceann— **-í, -aí, -ta, -te, -anna, -acha**—de ghnáth, leis an ainmfhocal san Iolra. Dá bhrí sin is ionann foirm do na tuisil iolra go léir.

Na hAinmfhocail Phearsanta atá ar aon dul le *dochtúir, táilliúir, feirmeoir, múinteoir, siúinéir, tincéir,* tá siad firinscneach agus seo mar a dhíochlaontar iad :

Tuiseal	Uimhir Uatha	Uimhir Iolra
A.	tá **an feirmeoir** gnóthach	tá **na feirmeoirí** gnóthach
C.	féach **an feirmeoir** ag obair	féach **na feirmeoirí** ag obair
T.	níl tuirse **ar an bhfeirmeoir**	níl tuirse **ar na feirmeoirí**
Gin.	tá ba **an fheirmeora** crúite	tá ba **na bhfeirmeoirí** crúite
Ga.	**a fheirmeoir,** a chara !	**a fheirmeoirí,** a chairde !

Seo samplaí de dhíochlaonadh ainmfhocal eile.

An ceacht (f.)

Ain.	tá **an ceacht** deacair	tá **na ceachtanna** deacair
Cus.	foghlaim **an ceacht**	foghlaim **na ceachtanna**
Tabh.	éist **leis an gceacht**	éist **leis na ceachtanna**
Gin.	léigh tús **an cheachta**	léigh tús **na gceachtanna**

An fheoil (b.)

Ainmneach	is milis **an fheoil** in aice na cnáimhe.
Cuspóireach	cuir **an fheoil** ar an mias.
Tabharthach	croith piobar **ar an bhfeoil**
Ginideach	taitníonn blas **na feola** liom

An fhilíocht (b.)

Ainmneach	tá **an fhilíocht** léite agam
Cuspóireach	léigh **an fhilíocht** arís
Tabharthach	tá dúil agam **san fhilíocht**
Ginideach	mínigh brí **na filíochta**

Athrú gutaí sa Ghinideach Uatha

éi go **éa** : báicéir, báicéara ; tincéir, tincéara.
io go **ea** : crios, creasa ; sioc, seaca.
i go **ea** : mil, meala ; cith, ceatha.
ui go **o** : fuil, fola.
ui go **a** : muir, mara.

Obair le déanamh

(Féach an liosta ainmfhocal atá ar lgh. 116–117)

A. Bain na lúibíní de na hainmfhocail seo a leanas :
Gloine (fíon) ; braon (fuil) ; cnámh (droim) ; punt (feoil) ;
fód (móin) ; ag díol (cíos) ; ar feadh (bliain) ; cíor (mil) ; búcla
(crios) ; a lán (am).

B. Bain na lúibíní de na hainmfhocail seo a leanas :
Mac (an bádóir) ; cathaoir (an fiaclóir) ; builín (an báicéir) ;
ceacht (an múinteoir) ; bean (an tincéir) ; uirlisí (an siúinéir) ;
obair (an táilliúir) ; mála (an dochtúir) ; earraí (an siopadóir) ;
bullán (an búistéir).

**C. Scríobh na hainmfhocail seo a leanas san uimhir
iolra :**
An t-anam, an bláth, an cith, an gamhain, an gleann, an múinteoir,
an rang, an altóir, an bheannacht, an bhliain.

D. Bain na lúibíní de na hainmfhocail seo a leanas :
Obair (an feirmeoir) ; obair (na feirmeoirí) ; boladh (an bláth) ;
boladh (na bláthanna) ; caipín (an buachaill) ; caipíní (na
buachaillí) ; deireadh (an céacht) ; deireadh (na ceachtanna) ;
bainne (an gamhain) ; bainne (na gamhna).

63

31

AN CEATHRÚ DÍOCHLAONADH

Sa Cheathrú Díochlaonadh is ionann foirm do na Tuisil go léir
san Uimhir Uatha, agus is ionann foirm do na Tuisil go léir san
Uimhir Iolra. San Uatha críochnaíonn na hainmfhocail ar **ghuta**
nó ar **-ín**. San Iolra críochnaíonn an chuid is mó de na hainm-
fhocail ar **-í**, ach tá na foircinn **-ta, -te, -the, -cha, -nna** le fáil
freisin. Is *firinscneach* don chuid is mó de na hainmfhocail.

Tuiseal	Uimhir Uatha	Uimhir Iolra
	An cigire (f.)	
Ain.	tháinig **an cigire**	tháinig **na cigirí**
Cus.	chonaic mé **an cigire**	chonaic mé **na cigirí**
Tabh.	bhí mála **ag an gcigire**	bhí málaí **ag na cigirí**
Gin.	léigh cuntas **an chigire**	léigh cuntas **na gcigirí**
Gair.	**a chigire,** a chara !	**a chigirí,** a chairde !

An sicín (f.)

A.	tá **an sicín** ag rith	tá **na sicíní** ag rith
C.	ná lig **an sicín** isteach	ná lig **na sicíní** isteach
T.	tabhair bia **don sicín**	tabhair bia **do na sicíní**
G.	féach clúmh **an tsicín**	féach clúmh **na sicíní**

An tsláinte (b.)

Ain.	tá **an tsláinte** go maith agat	
Cus.	go bhfága Dia **an tsláinte** agat	
Tabh.	tabhair aire **don tsláinte**	
Gin.	tá togha **na sláinte** agamsa, a bhuí le Dia !	

> N.B. "Don sicín" ach "don tsláinte" de bhrí go bhfuil
> 'sicín' *firinscneach* agus 'sláinte' *baininscneach*.

An t-oide (f.)

A. ar tháinig **an t-oide ?**   ar tháinig **na hoidí ?**
C. ní fhaca mé **an t-oide**   ní fhaca mé **na hoidí**
T. fan **leis an oide**   fan **leis na hoidí**
Gin. tá mála **an oide** sa scoil   tá málaí **na n-oidí** sa scoil
Ga. **a oide** dhílis   **a oidí** dílse

Obair le déanamh

(Féach an liosta ainmfhocal atá ar lgh. 118-121)

A. Bain na lúibíní de na hainmfhocail seo a leanas :

1. Muintir (an baile). 2. Caint (na daoine). 3. Gasra (an Fáinne). 4. Luach (na horáistí). 5. Teach (an bhanaltra). 6. Seomra (na cótaí). 7. Leabhar (an cigire). 8. Tonnta (an fharraige). 9. Doras (an siopa). 10. Mála (an máistir).

B. Scríobh na hainmfhocail seo san uimhir iolra :

An t-ainm, an t-ainmhí, an baile, an bosca, an ceapaire, an dlí, an duine, an lao, an léine, an tslí.

C. Bain na lúibíní de na hainmfhocail seo a leanas agus scríobh san uimhir iolra iad :

1. Scríbhneoireacht (an dalta). 2. Líonta (an t-iascaire). 3. Bosca (briosca). 4. Lán (an mála). 5. (Cluiche) cártaí. 6. Cró (an sicín). 7. Gairdín (an t-ainmhí). 8. Rás (an cú). 9. Ag ní (an ghloine). 10. Ag dúnadh (an geata).

D. Bain na lúibíní de na hainmfhocail seo a leanas :

1. Bhí an múinteoir ag ceartú (na haistí). 2. An í sin Scoil (na Cailíní)? 3. Bíonn Seán ag snámh i (an fharraige) gach lá sa samhradh. 4. Is maith liom a bheith ag súgradh i (an sneachta). 5. Bhí an cat ina shuí ar (an balla). 6. Bhí sí ag léamh (na hainmneacha) as an leabhar. 7. Bhfuil an bhean ag ní (na plátaí)? 8. Rinne sé i (an tslí) sin é. 9. Tá Seán ina shuí le hais (an tine). 10. Bhí sé ina shuí ar feadh (an oíche) aréir.

65

32

AN CÚIGIÚ DÍOCHLAONADH
AGUS AINMFHOCAIL NEAMHRIALTA

Níl mórán ainmfhocal sa 5ú Díochlaonadh. San Uimhir Uatha críochnaíonn an chuid is mó díobh ar **-ir** san Ainmneach, agus ar **-ch** sa Ghinideach. Críochnaíonn dornán díobh ar **ghuta** san Ainmneach agus ar **-n** nó **-d** sa Ghinideach. Tá **-il, -in** le fáil corruair san Ainmneach agus **-ch** sa Ghinideach.

	Uimhir Uatha	**Uimhir Iolra**
	An t-athair (f.)	
Ain.	tá **an t-athair** ag imeacht	tá **na haithreacha** ag imeacht
Cus.	lean **an t-athair**	lean **na haithreacha**
Tabh.	tá deifir **ar an athair**	tá deifir **ar na haithreacha**
Gin.	éist le caint **an athar**	éist le caint **na n-aithreacha**
Gair.	**a athair** dhílis.	**a aithreacha** dílse

	An chathaoir (b.)	
A.	thit **an chathaoir**	thit **na cathaoireacha**
C.	tóg **an chathaoir**	tóg **na cathaoireacha**
T.	ná suigh **ar an gcathaoir**	ná suígí **ar na cathaoireacha**
G.	tá cosa **na cathaoireach** briste	tá cosa **na gcathaoireacha** briste

	An lacha (b.)	
Ain.	tá **an lacha** ag snámh	tá **na lachain** ag snámh
Cus.	ná scanraigh **an lacha**	ná scanraigh **na lachain**
Tabh.	tabhair coirce **don lacha**	tabhair coirce **do na lachain**
Gin.	ná bris ubh **na lachan**	ná bris uibheacha **na lachan**

An bhean (b.)

Ain.	cá bhfuil **an bhean** ?	cá bhfuil **na mná** ?
Cus.	ní fheicim **an bhean**	ní fheicim **na mná**
Tabh.	tá fearg **ar an mbean**	tá fearg **ar na mná**
Gin.	cloisim caint **na mná**	cloisim caint **na mban**
Gair.	**a bhean** chóir	**a mhná** córa

Obair le déanamh

(Féach an liosta ainmfhocal atá ar lch. 122)

A. Bain na lúibíní de na hainmfhocail seo a leanas :

1. Poll (an eochair). 2. Fáinne (na heochracha). 3. Stad (an traein). 4. Scoil (na Bráithre). 5. Leabhar (an tSiúr). 6. Cró (na lachain). 7. Muintir (an chathair). 8. Ag deireadh (an mhí). 9. Obair (an lá). 10. Ag ól (an deoch).

B. Scríobh san uimhir uatha :

1. Caint na mban. 2. Cíos na dtithe. 3. Comhairle na gcairde. 4. Obair na Siúracha. 5. Ag scríobh na litreacha. 6. Olann na gcaorach. 7. Teach na gcomharsana. 8. Ag ól na ndeochanna. 9. Ag cóiriú na leapacha. 10. Uisce na n-aibhneacha.

C. Scríobh na hainmfhocail seo san uimhir iolra :

An chathair ; an mháthair ; an chomharsa ; an lá ; an deirfiúr ; an deartháir ; an eochair ; an uimhir ; an mhí ; an abhainn.

D. Bain na lúibíní de na hainmfhocail seo a leanas :

1. Tá soilse (an chathair) an-gheal. 2. Bhí gluaisteán (a athair) á thiomáint aige. 3. Is é lá na báistí lá (na lachain). 4. An féidir leat snámh trasna (an abhainn) sin? 5. Tá droim (an chathaoir) sin briste. 6. Cé acu is fearr leat stocaí síoda nó stocaí (olann)? 7. Is maith an scáthán súil (cara). 8. Is fearr fuacht do (cara) ná teas do (namhaid). 9. Bhí an feirmeoir ag lomadh (na caoirigh). 10. Cuireadh Conradh (an Talamh) ar bun sa bhliain 1879.

67

33

DÍOCHLAONADH NA hAIDIACHTA—I

Leanann an Aidiacht an t-ainmfhocal, de ghnáth, agus géilleann sí dó in *Uimhir*, *Inscne*, agus *Tuiseal*.

Tá trí Dhíochlaonadh den Aidiacht ann.

An Chéad Díochlaonadh den Aidiacht

Críochnaíonn Aidiachtaí den Chéad Díochlaonadh ar *chonsan*, leathan nó caol, ach amháin na cinn ar -*úil*.

Más *Firinscneach* don Aidiacht díochlaontar san Uatha í ar nós ainmfhocal den Chéad Díochlaonadh (*Ceacht* 28). Más *Baininscneach* di díochlaontar ar nós ainmfhocal den Dara Díochlaonadh í (*Ceacht* 29).

Firinscneach

an fear beag	caint an fhir **bhig**	ar an bhfear beag
an crios beag	búcla an chreasa **bhig**	ar an gcrios beag
an cú beag	iall an chú **bhig**	ar an gcú beag
an cara beag	caint an charad **bhig**	ar an gcara beag

Baininscneach

an chearc bheag	gob na circe **bige**	ar an gcearc **bheag**
an altóir bheag	barr na haltóra **bige**	ar an altóir **bheag**
an fhaiche bheag	féar na faiche **bige**	ar an bhfaiche **bheag**
an lacha bheag	ubh na lachan **bige**	ar an lacha **bheag**

Séimhítear an Aidiacht sa Ghairmeach Uatha :

a fhir **bhig** ; a chearc **bheag** ; a chara **bhig**

Uimhir Iolra

San Ainmneach, Cuspóireach agus Tabharthach Iolra críochnaíonn an Aidiacht ar -**a** nó ar -**e** :

beag, beaga ; bán, bána ; dubh, αubha ; maith, maithe ; ciúin, ciúine.

Sna tuisil sin séimhítear túschonsan na hAidiachta má chríochnaíonn an t-ainmfhocal roimhe ar chonsan *caol* :

fir **bh**eaga ; fir **mh**aithe, ach cairde beaga ; cairde maithe.

An Ginideach Iolra

Is ionann foirm do Ghinideach Iolra na hAidiachta agus do na tuisil eile de ghnáth :

na criosanna beaga	búclaí na gcriosanna beaga
na faichí beaga	féar na bhfaichí beaga

Ach i gcás ainmfhocail a chríochnaíonn ar *chonsan caol* nó ar **-a** san Ainmneach Iolra is ionann foirm do Ghinideach Iolra na hAidiachta agus don Ainmneach Uatha :

na fir bheaga	caint na bhfear **beag**
na húlla beaga	blas na n-úll **beag**
na bróga beaga	dath na mbróg **beag**

Ain. Cus.	an bád beag	na báid bheaga
Tabh.	ar an mbád beag	ar na báid bheaga
Gin.	seolta an bháid **bhig**	seolta na mbád **beag**

Ain. Cus.	an bhábóg bheag	na bábóga beaga
Tabh.	ar an mbábóg bheag	ar na bábóga beaga
Gin.	teach na bábóige **bige**	teach na mbábóg **beag**

Obair le déanamh

A. Scríobh na focail seo a leanas san uimhir iolra :

1. An t-uan bán. 2. An fear mór. 3. Trasna an chnoic aird. 4. Éist le caint an linbh bhig. 5. A dhuine uasail. 6. Muintir an bhaile mhóir. 7. An t-amhrán binn. 8. An táilliúir bacach. 9. Tríd an bpáirc mhór. 10. An buachaill ciúin.

B. Bain na lúibíní de na focail seo a leanas :

1. Bhí doras (an teach mór) dúnta. 2. Cailleadh mac (an bhean bhocht). 3. Slán leat, a (fear beag). 4. Chuamar go barr (an cnoc ard). 5. Shiúil sé trasna (an pháirc mhór). 6. Bhí an teach ar thaobh (an bóthar mór). 7. Briseadh ubh (an lacha bhán). 8. Rás (na capaill dhubha). 9. Cró (an tsnáthaid chaol). 10. A (fir mhaithe) éistigí liom.

C. An tuiseal ginideach uatha díobh seo a scríobh :

1. An buachaill mór. 2. An tsúil ghorm. 3. An capall dubh. 4. An crann ard. 5. An seol donn. 6. An bhó bhán. 7. An scian ghéar. 8. An fhuil dhearg. 9. An sioc bán. 10. An spúnóg gheal.

34

DÍOCHLAONADH NA hAIDIACHTA—II

An Dara Díochlaonadh den Aidiacht

Níl mórán Aidiachtaí sa Dara Díochlaonadh; críochnaíonn siad ar **-úil** : bródúil, cáiliúil, fearúil, leisciúil, misniúil, suimiúil, srl.

Seo mar a dhíochlaontar iad :

Firinscneach

A. C.	an cara geanúil	na cairde **geanúla**	
T.	leis an gcara geanúil	leis na cairde **geanúla**	
G.	teach an charad gheanúil	teach na gcairde **geanúla**	
Ga.	a chara gheanúil	a chairde **geanúla**	

Baininscneach

A. C.	an bhanaltra gheanúil	na banaltraí **geanúla**	
T.	leis an mbanaltra gheanúil	leis na banaltraí **geanúla**	
G.	teach na banaltra **geanúla**	teach na mbanaltraí **geanúla**	
Ga.	a bhanaltra gheanúil	a bhanaltraí **geanúla**	

I gcás ainmfhocail a chríochnaíonn ar *chonsan caol* nó ar **-a** san Ainmneach Iolra, is ionann foirm do Ghinideach Iolra na hAidiachta agus don Ainmneach Uatha.

na fir **gheanúla**   teach na bhfear **geanúil**
na girseacha **dathúla** gúnaí na ngirseach **dathúil**

Aidiachtaí Éagsúla

Tá roinnt aidiachtaí eile nach n-infhilltear sa Ghinideach Uatha *Firinscneach*. Seo beagán díobh :

Ain. Uatha	Gin. Fir.	Gin. Bain.	Ain. Iolra
deas	deas	deise	deasa
fliuch	fliuch	fliche	fliucha
gearr	gearr	giorra	gearra
mall	mall	maille	malla
trom	trom	troime	troma

70

An Tríú Díochlaonadh den Aidiacht

Sa Tríú Díochlaonadh críochnaíonn an Aidiacht ar **ghuta** agus **ní infhilltear í** : breá, buí, cineálta, cneasta, cumhra, diaga, dorcha, fada, furasta, nua, rua, srl.

Firinscneach

A.C.	an sicín buí	na sicíní buí
T.	ar an sicín buí	ar na sicíní buí
G.	clúmh an tsicín bhuí	clúmh na sicíní buí

Baininscneach

A.C.	an oíche dhorcha	na hoícheanta dorcha
T.	san oíche dhorcha	sna hoícheanta dorcha
G.	i rith na hoíche dorcha	i rith na n-oícheanta dorcha

Obair le déanamh

A. Scríobh na focail seo a leanas san uimhir iolra :

1. An garda fearúil. 2. An bhean bhródúil. 3. An scéal suimiúil. 4. An grósaeir flaithiúil. 5. An t-easpag cáiliúil. 6. An leabhar buí. 7. An sos fada. 8. An lá dorcha. 9. An fear rua. 10. An cheist fhurasta.

B. Bain na lúibíní de na focail seo a leanas :

1. Obair (an mac leisciúil). 2. Obair (an iníon leisciúil). 3. Hata (an bhean bhródúil). 4. Eachtraí (an saighdiúir misniúil). 5. Deireadh (an scéal suimiúil). 6. Costas (an turas fada). 7. Barr (an gort buí). 8. Cabhair (an bhanaltra chineálta). 9. Boladh (an bláth cumhra). 10. Ar feadh (an lá breá).

C. Bain na lúibíní de na focail seo a leanas :

1. Fionnadh (an cat bán). 2. Ubh (an lacha bhán). 3. Sáil (an bhróg bheag). 4. Geata (an pháirc mhór). 5. Ag bailiú (an cíos trom). 6. Ag iompar (an chloch throm). 7. Iall (an cú mall). 8. Ar feadh (an oíche fhada). 9. Ag ceannach (úlla dearga). 10. Cluichí (na páistí óga).

35

CÉIMEANNA COMPARÁIDE NA hAIDIACHTA—I

Céimeanna Ionannais

Féach na habairtí seo :

Tá an fear sin **chomh láidir le** capall.

Níl Muiris **chomh hard le** hÉamann.

Níl mé **chomh hóg leatsa.**

Tá Máire **chomh deas agus** a bhí sí riamh.

Bhí sé **chomh mall** inniu **agus** a bhí sé inné.

I ngach abairt díobh táim ag rá gurb ionann (nó nach ionann) an cháilíocht atá ag beirt nó ag dhá rud.

Má leanann *ainmfhocal* an aidiacht cuirtear *le* roimhe ; má leanann *briathar* an aidiacht cuirtear *agus* roimhe. Cuirtear **h** roimh thúsghuta i ndiaidh **chomh** agus **le :** chomh **h**ard le **h**aill.

Céimeanna Comparáide

Murab ionann an cháilíocht atá ag beirt nó ag dhá rud úsáidtear foirm an *Ghinidigh Uatha Bhaininscnigh* den aidiacht (de ghnáth) lena chur in iúl go bhfuil breis den cháilíocht ag ceann amháin thar an gceann eile. Tugtar **Breischéim na hAidiachta** ar an bhfoirm sin sa chás seo.

Cuirtear **is** nó **tá . . . níos** roimh an aidiacht.

Is gile an ghrian **ná** an ghealach, nó **Tá** an ghrian **níos gile ná** an ghealach.

Má thagann *briathar* sa dara cuid den abairt cuirtear **ná mar a** roimhe.

Is láidre atá Seán anois **ná mar a** bhí sé bliain ó shin.

Coimriú

Má chríochnaíonn aidiacht ilsiollach ar **-il, -ir,** nó **-is** cailleann an aidiacht an **i** sa Ghinideach Uatha Baininscneach (i.e. sa Bhreischéim).

Ainmneach :	fearúil	láidir	saibhir	milis
Gin. Uath. Bain. :	fearúla	láidre	saibhre	milse

Aidiachtaí ilsiollacha a chríochnaíonn ar **-each** nó ar **-ach** san Ainmneach Uatha, críochnaíonn siad ar **-í** nó ar **-aí** sa Ghinideach Uatha Baininscneach :

Ainmneach :	díreach	déanach	gnóthach	cumasach
Gin. Uath. Bain. :	dírí	déanaí	gnóthaí	cumasaí

Obair le déanamh

A. Cuir isteach (a) *ciúin* (b) *mear* (c) *óg* (d) *fiáin* (e) *cumasach* in áit *láidir* **sa chaint seo a leanas agus athraigh** *láidre* **dá réir :**

Is láidir an capall é ach chonaic mé capaill níos láidre ná é.

B. Gach abairt díobh seo a scríobh agus an fhoirm cheart de na focail atá idir lúibíní inti a chur isteach :

1. Bíonn an aimsir níos (tirim) sa samhradh ná sa gheimhreadh.
2. Cé acu is (trom) iarann nó luaidhe ?
3. Is (saibhir) an fear sin ná mise.
4. Cé acu is (milis) siúcra nó mil ?
5. Is (sean) Máire ná Cáit ach is (ciallmhar) Cáit ná í.

C. Scríobh breischéim chomparáide na n-aidiachtaí seo a leanas :

Deas, díreach, fliuch, fuar, geal, gnóthach, lag, mín, saor, úr.

73

36

CÉIMEANNA COMPARÁIDE NA hAIDIACHTA—II

Sárchéim

Go dtí seo ní dhearnadh comparáid ach idir beirt nó idir dhá rud. Ach má bhíonn níos mó ná sin i gceist is í an fhoirm chéanna den aidiacht (i.e. foirm an Ghinidigh Uatha Bhaininscnigh) a úsáidtear sa chomparáid.

(a) *Is airde* Seán ná Séamas ; *is airde* é ná aon bhuachaill eile sa rang.

(b) Is é Seán an buachaill **is airde** sa rang.

In abairt mar (b) anseo nuair a bhíonn níos mó ná péire i gceist, is minic a ghlaotar **Sárchéim na hAidiachta** ar an bhfoirm sin.

Is féidir an t-eolas céanna a thabhairt leis **an mbriathar** *tá* agus an réamhfhocal *ar* :

Tá Seán **ar** an mbuachaill **is airde** sa rang.

Comparáidí Éagsúla

Bunchéim	*Breischéim* *Sárchéim*	*Bunchéim*	*Breischéim* *Sárchéim*
álainn	áille	olc	measa
beag	lú	ramhar	raimhre
dócha	dóichí	te	teo
fada	faide	tiubh	tibhe
fliuch	fliche		
furasta	fusa	breá	breátha
iomaí	lia	cóir	córa
leathan	leithne	deacair	deacra
maith	fearr	gearr	giorra
mór	mó	socair	socra

(Féach an liosta aidiachtaí atá ar lch. 123)

74

Comparáid san Aimsir Chaite

Nuair a dhéantar comparáid san Aimsir Chaite gan aon tagairt don Aimsir Láithreach úsáidtear

ba in ionad **is** agus **ní ba** nó **níb** in ionad **níos.**

(**Ní ba** roimh chonsan agus **níb** roimh ghuta nó roimh **f** má leanann guta é. Leanann *séimhiú* **ní ba**):

Ba é an fear **ba shaibhre** san áit é nuair a bhí sé beo.

Bhí Fionn mac Cumhaill **ní ba chliste** agus **níb eolaí** ná aon duine eile de na Fianna.

Bhí an peann **ba mheasa** ag an mbuachaill **ab fhearr.**

Obair le déanamh

A. Cuir isteach (*a*) *olc* (*b*) *deas* (*c*) *deacair* (*d*) *breá* (*e*) *furasta* in áit *maith* sa chaint seo a leanas agus athraigh *fearr* dá réir.

Is maith an obair í ach chonaic mé obair níos fearr ná í.

B. Gach abairt díobh seo a scríobh agus an fhoirm cheart de na focail atá idir lúibíní a chur isteach:

1. Is maith liom tae ach is (maith) liom caife.
2. Tá Seán níos (óg) ná Séamas ach is (ard) é ná Séamas.
3. Is (furasta) ceist a chur ná a fhreagairt.
4. Cheannaigh sé an hata ba (daor) dá raibh sa siopa.
5. Sin é an bullán is (ramhar) dá bhfaca mé riamh.

C. Scríobh Breischéim na nAidiachtaí seo a leanas:

Ard, beag, bocht, díreach, fada, gearr, íseal, mór, olc, saibhir.

D. Scríobh Bunchéim na nAidiachtaí seo a leanas:

Áille, deacra, fearr, fliche, fusa, gile, lia, lú, measa, teo.

37

NA BUNUIMHREACHA—I

I gcomhaireamh rudaí gan iad a lua, agus ag insint an ama deirtear :

1. a haon	8. a hocht	15. a cúig déag
2. a dó	9. a naoi	16. a sé déag
3. a trí	10. a deich	17. a seacht déag
4. a ceathair	11. a haon déag	18. a hocht déag
5. a cúig	12. a dó dhéag	19. a naoi déag
6. a sé	13. a trí déag	20. fiche
7. a seacht	14. a ceathair déag	

Má chuirtear ainmfhocal leis na huimhreacha, seo mar a deirtear iad :

1. cipín	11. aon chipín déag
2. dhá chipín	12. dhá chipín déag
3. trí chipín	13. trí chipín déag
4. ceithre chipín	14. ceithre chipín déag
5. cúig chipín	15. cúig chipín déag
6. sé chipín	16. sé chipín déag
7. seacht gcipín	17. seacht gcipín déag
8. ocht gcipín	18. ocht gcipín déag
9. naoi gcipín	19. naoi gcipín déag
10. deich gcipín	20. fiche cipín

Séimhítear **d** an fhocail **déag** má chríochnaíonn an t-ainmfhocal roimhe ar **ghuta** : dhá oíche dhéag ; ocht n-oráiste dhéag.
Ach cúig bliana déag, trí huaire déag.

Nótaí

Is í foirm **uatha** an ainmfhocail a chuirtear leis na bunuimhreacha, de ghnáth.

Séimhítear túschonsan an ainmfhocail i ndiaidh **dhá, trí, ceithre, cúig, sé.** Fágtar **túsghuta** gan athrú :

dhá chat, trí ghuí, ceithre bhó, cúig mhí, sé chéad.
dhá ubh, trí áit, ceithre uan, cúig iasc, sé asal.

Uraítear túschonsan an ainmfhocail i ndiaidh **seacht, ocht, naoi, deich.** Cuirtear **n-** roimh thúsghuta :

seacht ngalún,   ocht mbád,   naoi gceacht,   deich bpunt.
seacht n-oileán, ocht n-éan,   naoi n-oíche, deich n-úll.

An tAlt roimh na hUimhreacha

Cuirtear **an** roimh **aon, dá, fiche.**
Cuirtear **na** roimh na huimhreacha eile thuas :

an dá bhó (dhéag), na trí bhó (dhéag), na seacht gcaora, na ceithre bhád déag, na sé oráiste dhéag.

Aidiachtaí leis na hUimhreacha 2-19

Aidiacht a leanann uimhir 2-19, bíonn sí san uimhir **iolra**— túschonsan i ngach tuiseal **séimhithe,** túsghuta **lom :**

Dhá bhó bhreaca ; an dá bhó bhreaca ; na trí chapall bhána ; ar na hocht gcaora bheaga ; leis na cúig bhullán déag dhubha.

Bainne an dá bhó bhreaca ; obair na dtrí chapall bhána ; olann na n-ocht gcaora bheaga ; luach na gcúig bhullán déag dhubha ; na ceithre fhuinneog arda ; ag glanadh na gceithre fhuinneog arda.

Obair le déanamh

A. Scríobh gan figiúirí a úsáid :

1. 3 (úll), 3 (madra), 7 (bó), 7 (asal), 8 (uan), 8 (caora).
2. 4 (ceacht), 4 (oráiste), 2 (mála), 2 (ubh), 7 (bus), 7 (éan).
3. 15 (punt), 15 (ainm), 17 (úll), 17 (cearc), 20 (peann).
4. 2 (cat : dubh) ; 3 (úll : dearg) ; 8 (bó : breac) ; 10 (eala : bán).
5. Luach (an : 2 : asal : dubh) ; bainne (na : 3 : bó : breac).

B. An t-alt agus na huimhreacha 2, 6, 9 a scríobh i bhfocail roimh gach ceann de na leaganacha seo a leanas, agus iad a athrú dá réir :

uan bán ; geata ard ; ceist dheacair.

38

NA BUNUIMHREACHA—II

20 fiche	50 caoga	80 ochtó
30 tríocha	60 seasca	90 nócha
40 daichead	70 seachtó	100 céad
	1,000 míle	1,000,000 milliún

Comhaireamh

21, 22, 28	fiche a haon, fiche a dó, fiche a hocht.
53, 76, 87	caoga a trí, seachtó a sé, ochtó a seacht.
365	trí chéad seasca **a** cúig.
1,752	míle, seacht gcéad caoga **a** dó.

Ainmfhocal leis an Uimhir

21, 28	cipín	cipín is fiche, ocht gcipín is fiche.
53, 87	cipín	trí chipín is caoga, seacht gcipín is ochtó.
365	lá	trí chéad seasca **is** cúig lá.
1,752	acra	míle, seacht gcéad caoga **is** dhá acra.

bos, bróg, cluas, cos, lámh

I ndiaidh 2 (nó 12, 22, 32, srl.) deirtear
bhois, bhróig, chluais, chois, láimh (*Ceacht* 29).
dhá bhróig, dhá chois bheaga, dhá láimh fhada

ceann, bliain, uair

Deirtear **cinn, bliana, uaire** i ndiaidh uimhreacha ar bith nach gcríochnaíonn ar 0, 1, 2 :

trí cinn, cúig bliana, sé huaire
ach dhá cheann, céad bliain, fiche uair.
Cuirtear **h** roimh **uaire** i ndiaidh *trí, ceithre, cúig, sé.*
(Nuair nach mbíonn uimhir roimh an bhfoirm iolra de *bliain, uair* deirtear **blianta, uaireanta**
blianta ó shin : bím ann uaireanta).

Aidiachtaí le hUimhreacha

Úsáidtear foirm **uatha** na haidiachta i ndiaidh 20, 30, 40, 50, 60, 70, 80, 90, 100, 1,000, 1,000,000 :

fiche caora bhán, ochtó úll dearg, céad ubh úr.

Dhá

Má chuirtear **mo, do, a, ár,** nó **bhur** roimh **dhá**, ní athraíonn sé **dhá**, ach athraíonn sé an t-ainmfhocal ina dhiaidh : mo (do) **dhá** bhróig; Seán—a **dhá** bhróig; Máire—a **dhá** bróig; Úna agus Cáit—a **dhá** mbróig.

Seán—a **dhá** uan; Máire—a **dhá** huan; Úna agus Cáit—a **dhá** n-uan.

Obair le déanamh

A. Scríobh go hiomlán gan figiúirí a úsáid :

1. 7 (úll), 17 (úll), 12 (bó), 16 (buidéal), 13 (teach).
2. 2 (bróg), 2 (lámh), 3 (uair), 8 (bliain).
3. 38 (bó), 59 (caora), 77 (cearc), 48 (sicín).
4. 14 (bullán : dubh) ; 17 (bád : beag) ; 66 (uan : bán).
5. 29 (muc : ramhar) ; 20 (úll : dearg) ; 15 (ubh : mór).

B. Scríobh na huimhreacha seo a leanas i bhfigiúirí :

1. Fiche a seacht ; daichead a hocht ; ochtó a cúig.
2. Trí chéad ; nócha a hocht ; tríocha a trí.
3. Míle, cúig chéad ; trí chéad caoga a dó ; dhá mhíle dhéag.
4. Cúig chéad a naoi ; ceithre mhíle ; sé chéad seasca a sé.
5. Seacht gcéad déag ; dhá mhíle a dó ; míle agus céad.

C. Athscríobh na habairtí seo gan figiúirí a úsáid :

1. Tabhair a (2 : bróg) do Mháire agus a (2 : bróg) do Sheán.
2. 2 : lámh : caol ; 2 : cluas : bodhar ; 2 : cos : mór ; 2 : bliain : fada.
3. 12 (uair), 7 (uair), 5 (bliain), 20 (bliain).

39

NA hORDUIMHREACHA

NA hUIMHREACHA PEARSANTA

Chun na hOrduimhreacha a chumadh cuirtear **-ú** nó **-iú** leis na Bunuimhreacha, ach amháin i gcás cúpla sampla :

1ú an chéad lá	11ú an t-aonú lá déag
2ú an dara (dóú) lá	12ú an dóú lá déag
3ú an tríú lá	13ú an tríú lá déag
4ú an ceathrú lá	17ú an seachtú lá déag
5ú an cúigiú lá	20ú an fichiú lá
6ú an séú lá	26ú an séú lá is fiche
7ú an seachtú lá	39ú an naoú lá is tríocha
8ú an t-ochtú lá	50ú an caogadú lá
9ú an naoú lá	66ú an séú lá is seasca
10ú an deichiú lá	100ú an céadú lá

Nótaí

Bíonn *túschonsan* an ainmfhocail **lom** i ndiaidh orduimhreach : cuirtear **h** roimh *thúsghuta*, ach amháin i ndiaidh *céad*.

6ú : an séú fear ; an séú bean ; an séú **h**áit
33ú : an tríú caora is tríocha ; an tríú **h**uan is tríocha

Ní dhéantar díochlaonadh ar an ainmfhocal i ndiaidh orduimhreach, ach amháin i ndiaidh **céad.**

Seomra an dara rang ; i dtús an ochtú haois.

Séimhítear **céad** i ndiaidh an Ailt—uatha agus iolra—agus séimhítear an t-ainmfhocal ina dhiaidh :

Déantar díochlaonadh ar an ainmfhocal i ndiaidh **céad :**
an chéad fhear ; caint an chéad fhir ; caint na chéad mhná ; an chéad áit ; na chéad uain.

Na hUimhreacha Pearsanta

1. duine	8. ochtar	15. cúig dhuine dhéag
2. beirt	9. naonúr	16. sé dhuine dhéag
3. triúr	10. deichniúr	17. seacht nduine dhéag
4. ceathrar	11. aon duine dhéag	18. ocht nduine dhéag
5. cúigear	12. dáréag	19. naoi nduine dhéag
6. seisear	13. trí dhuine dhéag	20. fiche duine
7. seachtar	14. ceithre dhuine dhéag	21. duine is fiche

34, 46   ceithre dhuine is tríocha, sé dhuine is daichead
100   céad duine :   101   céad is duine amháin

Is den chéad díochlaonadh na hUimhreacha Pearsanta ach amháin **beirt** atá sa dara díochlaonadh. Bíonn foirm an Ainmnigh Uatha ar an ainmfhocal ina ndiaidh. (Eisceacht **ban**) :

triúr, ceathrar, cúigear, seisear, . . . deichniúr fear (ban). an bheirt, beirt (fhear) (bhan). Caint na beirte (fear, ban, srl.) Bíonn an aidiacht i ndiaidh **beirt** san *iolra*, ach is san *uatha* a bhíonn sí i ndiaidh na nUimhreacha Pearsanta eile.

beirt bhan bheaga, triúr ban beag, ceathrar fear maith.

Obair le déanamh

A. Scríobh na hOrduimhreacha seo i bhfocail :

1. An 2ú fear, an 9ú ceist, an 12ú teach, an 18ú áit.
2. Obair an (3ú : rang) ; an (1ú : fear) ; muintir an (2ú : teach) ; an (8ú : uan).
3. An 20ú lá ; an 27ú lá ; an 50ú lá ; an 100ú lá.
4. Aois an (3ú : mac) ; freagra an (5ú : ceist) ; clann an (2ú : bean).

B. Scríobh i bhfigiúirí :

An t-ochtú lá is fiche ; an t-aonú lá is tríocha ; an ceathrú lá is caoga ; an t-ochtódú lá ; an seachtú lá is seachtó.

C. Athscríobh iad seo a leanas gan figiúirí a úsáid :

1. 2 (fear), 2 (bean), 2 (buachaill), 2 (asal).
2. 3 (mac), 4 (iníon), 5 (buachaill), 12 (cailín).
3. 7 (duine), 10 (cailín), 15 (fear), 11 (garda).
4. 17 (duine), 20 (duine), 8 (duine), 13 (duine), 21 (duine).
5. 2 (fear : mór), 3 (fear : mór).

40

NA FORAINMNEACHA PEARSANTA, ÉIGINNTE, TAISPEÁNTACHA, CEISTEACHA AGUS NA hAID-IACHTAÍ A FHREAGRAÍONN DÓIBH

Is Roinn Cainte an Forainm a chuirtear in áit ainmfhocail.

Na Forainmneacha Pearsanta

mé, tú, sé, é, sí, í, sinn, sibh, siad, iad.

Foirmeacha Treise : mise, tusa, (s)eisean, (s)ise, sinne, sibhse, (s)iadsan.

(*Thú* agus *thusa* a úsáidtear i ndiaidh briathair aistrigh).

Na hAidiachtaí Sealbhacha

1. **mo** ghnó(sa)	**ár** ngnó(na)	**m'** áit(se)	**ár** n-áit(ne)
2. **do** ghnó(sa)	**bhur** ngnó(sa)	**d'** áit(se)	**bhur** n-áit(se)
3. **a** ghnó(san)	**a** ngnó(san)	**a** áit(sean)	**a** n-áit(sean)
a gnó(sa)		**a** háit(se)	

Má leanann **a** nó **ár** réamhfhocal a chríochnaíonn ar *ghuta*—**de, do, faoi, i, le, ó, trí**—táthaítear iad agus cuirtear **n** eatarthu, ach amháin i gcás *de* agus *do* :

de+a>**dá**, do+a>**dá**, de+ár>**dár**, do+ár>**dár** ;
faoi+a>**faoina**, le+a>**lena**, ó+ár>**ónár**, trí+ár>**trínár** :
dár gcairde ; faoina gcosa ; lena thoil ; óna hathair ; trína mhéara.

Na Forainmneacha agus na hAidiachtaí Éiginnte

Forainmneacha : **cách, cibé**.   *Aidiachtaí* : **aon, cibé, éigin** :
Tá a fhios sin ag **cách**. **Cibé** a rinne é.
An bhfuil **aon** duine istigh ? Bhí duine **éigin** ann.

Baintear feidhm as na **hAidiachtaí Sealbhacha** chun Ginideach na bhForainmneacha Pearsanta a chur in iúl :

mé :	ar **mo** shon		**sinn :**	i**nár** measc
tú :	os **do** chionn		**sibh :**	in **bhur** gcoinne
sé :	i**na** dhiaidh		**siad :**	i**na** ndiaidh
sí :	i**na** diaidh			

Na Forainmneacha agus na hAidiachtaí Taispeántacha

Forainmneacha : **seo, sin, siúd** *Aidiachtaí* : **seo, sin, úd.**

An bhfeiceann tú **seo** ? Ní fíor **sin.** Is fearr **seo** ná **siúd.**
Cuirtear treise le brí **seo, sin, siúd** ach **é, í, iad** a chur rompu :
Tóg **é seo** uaim. Féach **é sin** anois. Nach **é siúd** d'uncail ?

Leanann an Aidiacht Taispeántach an tAlt, an tAinmfhocal (agus
an Aidiacht) : an cailín **seo** : an fear mór **sin** : an cnoc **úd.**

Na Forainmneacha agus na hAidiachtaí Ceisteacha

Forainmneacha : **cé, cá, cad, céard.** *Aidiachtaí* : **cé, cá.**

Cé (Forainm) : Déanann sé tagairt do dhaoine, de ghnáth :
Cé hé sin ? Cé atá ag caint ? Cé aige a bhfuil an liathróid ?

Cé (Aidiacht) : Do rudaí is mó a dhéanann sé tagairt :
Cén luach atá ar an leabhar sin ? Cén uair a d'imigh sé ?

Cad, Céard : Is do rudaí amháin a thagraíonn siad :
Cad é sin ? Cad a dúirt sé ? Céard a fuair tú ?

Cá : Cá haois tú ? Cá bhfios duit ?

Obair le déanamh

A. Bain na lúibíní de na focail seo a leanas, agus cuir isteach aidiacht shealbhach oiriúnach i ngach cás.

1. Bhí sé ag rith i ndiaidh (mé). 2. Rinne mé é ar son (sé). 3. Bhí
an ghaoth i gcoinne (sinn). 4. D'fhan sé ar chúl (sibh). 5. Fuair
sé é le haghaidh (sí). 6. Seas os comhair (siad). 7. Cheannaigh mé
iad faoi choinne (tú). 8. Ní raibh sí i measc (sinn). 9. Cad tá os
cionn (tú) ? 10. Bhí madra le cois (sé).

B. Scríobh an fhoirm threise de na haidiachtaí sealbhacha seo a leanas :

1. Mo chóta. 2. Ár dteach. 3. A ngnó. 4. Do pheann. 5. Bhur
madra. 6. Mo chaipín. 7. Ár bhfeirm. 8. A ceist. 9. Do mhuintir.
10. A athair.

41

NA FORAINMNEACHA RÉAMHFHOCLACHA

U. Uatha	U. Iolra	U. Uatha	U. Iolra
	ag		**ar**
1. agam	againn	orm	orainn
2. agat	agaibh	ort	oraibh
3. aige	acu	air	orthu
aici		uirthi	
	as		**chuig**
1. asam	asainn	chugam	chugainn
2. asat	asaibh	chugat	chugaibh
3. as	astu	chuige	chucu
aisti		chuici	
	de		**do**
1. díom	dínn	dom	dúinn
2. díot	díbh	duit	daoibh
3. de	díobh	dó	dóibh
di		di	
	faoi		**fara**
1. fúm	fúinn	faram	farainn
2. fút	fúibh	farat	faraibh
3. faoi	fúthu	fairis	farstu
fúithi		fairsti	
	i		**idir**
1. ionam	ionainn	idir mé	eadrainn
2. ionat	ionaibh	idir tú	eadraibh
3. ann	iontu	idir é	eatarthu
inti		idir í	

Ní shéimhítear díom, díot, de, di, dínn, díbh, díobh
    ná dom, duit, dó, di, dúinn, daoibh, dóibh.
Cuirtear fleiscín idir dhá *s* : as-san, leis-sean, thairis-sean.

le			ó
1. liom	linn	uaim	uainn
2. leat	libh	uait	uaibh
3. leis	leo	uaidh	uathu
léi		uaithi	

roimh			thar
1. romham	romhainn	tharam	tharainn
2. romhat	romhaibh	tharat	tharaibh
3. roimhe	rompu	thairis	tharstu
roimpi		thairsti	

trí			um
1. tríom	trínn	umam	umainn
2. tríot	tríbh	umat	umaibh
3. tríd	tríothu	uime	umpu
tríthi		uimpi	

Na Foirmeacha Treise

1. agamsa	againne	uaimse	uainne
2. agatsa	agaibhse	uaitse	uaibhse
3. aigesean	acusan	uaidhsean	uathusan
aicise		uaithise	

Obair le déanamh

A. Líon gach bearna thíos le forainm réamhfhoclach oiriúnach :

1. Tháinig fearg (ar : sé). 2. Ar inis tú an scéal (do : sí)? 3. Cad tá ag teastáil (ó : sé)? 4. Fág (faoi : mise) é. 5. Bain (de : tú) do chóta. 6. Bhain an obair allas (as : sinn). 7. Déan rud (ar mé). 8. Tá scilling (ag : sí) (ar : sé). 9. Tá aithne (ag : mé) (ar : sé). 10. Níl a fhios (ag : sinn) cad tá (roimh : sinn).

B. Scríobh na forainmneacha réamhfhoclacha a fhreagraíonn do na leaganacha seo a leanas : (Sampla : Ag na cailíní > acu)

1. Roimh an madra. 2. Chuig an máistréas. 3. Faoin gcrann. 4. Ó na páistí. 5. Sa pháirc. 6. Den chapall. 7. Leis na fir. 8. Ag an mbean. 9. Idir na buachaillí. 10. Don bhean bhocht.

42

AN tAINM BRIATHARTHA—I

Tá Ainm Briathartha ag gach briathar. Is cosúil an tAinm Briathartha le hainmfhocal sa mhéid go bhfuil inscne, tuiseal agus uimhir aige.

Chun an tAinm Briathartha a chumadh cuirtear foirceann éigin, de ghnáth, leis an mbriathar.

-(e)adh an foirceann is coitianta : briseadh, bualadh, dúnadh, glanadh, lasadh, líonadh, múineadh, scuabadh.

Ach baintear feidhm freisin as **-áil, -(e)amh, -i(ú), -(i)úint** agus cinn eile : tógáil, seasamh, creidiúint, oscailt, éirí, athrú, ithe, srl.

Is ionann foirm don Ainm Briathartha agus don Bhriathar, uaireanta : díol, fás, goid, meas, ól, rith, scríobh, stad, srl.

(*Tá liosta briathra agus ainmneacha briathartha ar lgh.* 103-107).

Ag

I ndiaidh an réamhfhocail **ag** ciallaíonn an tAinm Briathartha **gníomh ar siúl** :

ag briseadh, ag dúnadh, ag glanadh, ag líonadh, ag scuabadh, ag éirí, ag ithe, ag ól, ag oscailt, ag rith, ag siúl.

Má leanann **cuspóir** an tAinm Briathartha bíonn sé sa **Tuiseal Ginideach** :

ag dúnadh **an dorais,** ag glanadh na **fuinneoige,** ag ithe **úill.**

Forainm mar Chuspóir

Más *forainm* an cuspóir baintear feidhm as na **hAidiachtaí Sealbhacha** mar ghinideach (*Ceacht* 40) :

mé : bhí sé **do mo** cheartú	sinn : bhí sé **dár** gceartú
tú : bhí sé **do do** cheartú	sibh : bhí sé **do bhur** gceartú
sé : bhí sé **á** cheartú	siad : bhí sé **á** gceartú
sí : bhí sé **á** ceartú	

é seo (sin) : bhí sé **á** cheartú seo (sin)
í seo (sin) : bhí sé **á** ceartú seo (sin)

Insint Neamhdhíreach

Déantar **Ainm Briathartha** den Mhodh Ordaitheach in *Insint Neamhdhíreach (Féach Ceacht 23)*.

Díreach	Neamhdhíreach
	Dúirt mé le Seán
Tar isteach, a Sheáin	**teacht** isteach
Ná suigh síos	**gan suí** síos
Dún an doras	an doras **a dhúnadh**
Ná hoscail an fhuinneog	**gan** an fhuinneog **a oscailt**

Obair le déanamh

A. Scríobh na habairtí seo gan na lúibíní agus athraigh iad dá réir :

1. Chuala mé Seán ag (dún : an doras). 2. Bhí an cat ag (ól : an bainne). 3. Tá Máire ag (scuab : an t-urlár). 4. Tá Séamas ag (léigh : an páipéar). 5. Beidh an feirmeoir ag (bain : an féar) amárach. 6. Bhí an bhean ag (scríobh : litir). 7. Tá an tseanbhean sin ag (díol : úlla). 8. Chonaic mé na buachaillí ag (imir : peil). 9. Bhí na cailíní ag (ith : milseáin). 10. Bíonn an buachaill sin ag (díol : páipéir nuachta) ag cúinne na sráide.

B. Cuir na focail *Dúirt mé le Seán* roimh na habairtí seo a leanas, agus déan aon athrú atá riachtanach :

1. Téigh abhaile. 2. Ól an bainne. 3. Léigh an ceacht. 4. Las an solas. 5. Fan ag an doras. 6. Ith an t-arán. 7. Dún an doras. 8. Oscail an fhuinneog. 9. Cuir an leabhar ar an mbord. 10. Scríobh d'ainm sa leabhar.

C. Cuir na focail *Dúirt mé le Seán* roimh na habairtí seo a leanas, agus déan aon athrú atá riachtanach :

1. Ná tit. 2. Ná labhair os ard. 3. Ná bí ag caint. 4. Ná creid an scéal sin. 5. Ná hinis bréag. 6. Ná caith bruscar ar an talamh. 7. Ná habair é sin arís. 8. Ná tar isteach. 9. Ná bris an chailc. 10. Ná fág do mhála i do dhiaidh.

43

AN tAINM BRIATHARTHA—II

ar

Má chuirtear **ar** roimh Ainm Briathartha ciallaíonn sé **staid.**
Ní leanann séimhiú **ar** sa chás sin :
ar crith, ar crochadh, ar cromadh, ar díol, ar iarraidh, ar oscailt, ar snámh, ar siúl, ar sodar.

    Tá an doras *ar oscailt.* Bainne *ar díol.* Tá mo mhála *ar iarraidh.*

chun, le

Má chuirtear **chun** nó **le** roimh an Ainm Briathartha ciallaíonn sé **aidhm** nó **cuspóir :**
Tháinig sé **chun mé (le mé)** a fheiceáil.
D'oscail sé an doras **chun an (leis an)** madra a ligean amach.

i

Má chuirtear **i** agus **Aidiacht Shealbhach** roimh na hAinmneacha Briathartha seo a leanas, ciallaíonn siad **staid :**
seasamh, suí, luí, codladh, dúiseacht, tost, cónaí :

Tá mé **i mo** sheasamh	Táimid **inár** luí
Tá tú **i do** shuí	Tá sibh **in bhur** dtost
Tá sé **ina** chodladh	Tá siad **ina** gcónaí i nDoire
Tá sí **ina** dúiseacht	

Slí Bheatha

Baintear úsáid as an dul cainte céanna chun an tslí bheatha atá (a bhí, nó a bheidh) ag duine a chur in iúl :
Tá Máire **ina banaltra** le bliain.
Beidh Seán **ina oide scoile** i gceann tamaill.
nó chun a leithéid seo a rá :
Bhí mé **i mo bhuachaill scoile** an uair sin.
Tá siad **ina gcailíní beaga** anois ach ní fada go mbeidh siad **ina gcailíní fásta.**

AN AIDIACHT BHRIATHARTHA

Cuireann an Aidiacht Bhriathartha in iúl dúinn an **staid** ina bhfuil duine nó rud tar éis gnímh áirithe :

Tá an doras **dúnta,** níl sé **oscailte.** Ní raibh an obair **déanta** agam. Tá an t-airgead go léir **caite.**

Chun an Aidiacht Bhriathartha a chumadh cuirtear **-ta, -te** (**-tha, -the**) leis an mbriathar, de ghnáth.

Cuirtear **-ta** nó **-te** leis na briathra a chríochnaíonn ar **-ch, -d, -l, -n, -s :**

múch, múchta ; dearmad, dearmadta ; ól, ólta ; dún, dúnta ; las, lasta ; goid, goidte ; buail, buailte ; sín, sínte ; bris, briste.

Cuirtear **-tha** nó **-the** leis na briathra a chríochnaíonn ar **-b, -c, -g, -m, -p, -r.**

scuab, scuabtha ; íoc, íoctha ; fág, fágtha ; cum, cumtha ; ceap, ceaptha ; cíor, cíortha ; lig, ligthe ; scaip, scaipthe.

Má chríochnaíonn an briathar ar **-th** nó ar **-igh,** ligtear an **-th** nó an **-gh** ar lár sula gcuirtear **-e** leis :

caith, caite ; ith, ite ; crúigh, crúite ; dóigh, dóite ; léigh, léite ; suigh, suite.

Obair le déanamh

A. Bain na lúibíní de na focail sna habairtí seo a leanas agus scríobh na habairtí ina n-iomlán :

1. Cá bhfuil Seán ? Tá sé i (suí) cois na tine. 2. Tá Caitlín i (suí), tá Brian i (seasamh). 3. Tá Tomás i (dúiseacht), tá Máire i (codladh). 4. Tá an madra i (codladh) ar an tinteán. 5. Tá an cat i (suí) ar an mballa. 6. Cá bhfuil sibh i (cónaí) ? 7. Féach Seán ansin, tá a athair i (oide) agus tá a mháthair i (oide freisin). 8. Níl na buachaillí sin i (cónaí) in Éirinn. 9. Tá Séamas i (múinteoir) le trí bliana. 10. Tá Máire i (banaltra) in ospidéal mór i mBaile Átha Cliath.

B. Scríobh Aidiachtaí Briathartha na mbriathra seo a leanas :

Bris, bruith, buail, caith, dún, gléas, goid, ith, léigh, suigh : crom, cum, fág, gearr, íoc, leag, scaip, scuab, tóg, tréig.

44

AN FORAINM COIBHNEASTA—I

Tuiseal Ainmneach

Féach na habairtí seo

An cailín **a bhíonn** ar scoil gach lá ; an cailín **a bhí** ar scoil inné ; an cailín **a bheidh** ar scoil amárach ; an cailín **a bhíodh** ar scoil gach lá anuraidh.

Tugtar **Forainm Coibhneasta** ar an **a** sin ; tá sé sa Tuiseal *Ainmneach* de bhrí go bhfuil sé ina ainmní ag an mbriathar ina dhiaidh. Leanann *séimhiú* **a** san Ainmneach.

Tuilleadh samplaí : An buachaill **a chaill** a rothar ; an cat **a d'ól** an bainne ; an litir **a thiocfaidh** amárach ; an fear **a cheannódh** an teach dá mbeadh an t-airgead aige.

Tuiseal Cuspóireach

An rothar **a chaill** an buachaill ; an bainne **a d'ól** an cat ; an teach **a cheannódh** an fear ; an páipéar **a fhaighim** gach maidin.

Is **Forainm Coibhneasta a** anseo freisin ach ní sa Tuiseal *Ainmneach* atá sé ach sa Tuiseal *Cuspóireach* toisc é a bheith ina chuspóir ag an mbriathar ina dhiaidh. Leanann *séimhiú* **a** sa Chuspóireach.

An Fhoirm Dhiúltach

Nach an mionfhocal diúltach ach amháin san Aimsir Chaite. Leanann *urú* é agus **n-** roimh ghuta.

Tuiseal Ainmneach : An gasúr **nach mbíonn** ar scoil gach lá ; an gasúr **nach raibh** ar scoil inné ; an gasúr **nach mbeidh** ar scoil amárach ; an fear **nach dtiocfadh** go dtí an cruinniú.

Tuiseal Cuspóireach : Na hearraí **nach ndíoltar** ; an féar **nach mbainfear** amárach ; an leabhar **nach gceannóinn** toisc é a bheith ródhaor ; an bia **nach n-ithinn** nuair a bhí mé óg.

An Aimsir Chaite

Nár an mionfhocal diúltach san Aimsir Chaite, leanann séimhiú é :

Ainmneach : an bhean **nár chreid** an scéal inné ; an buachaill **nár inis** an fhírinne nuair a cuireadh ceist air.

Cuspóireach : an t-airgead **nár chaith** mé fós ; na fuinneoga **nár glanadh** le fada.

Eisceachtaí : Úsáidtear **nach** in ionad **nár** leis na briathra seo : **deachaigh, dearna, dúirt, faca, fuair, raibh** :

An buachaill **nach ndeachaigh** ar scoil inné ; an obair **nach ndearnadh** ; an bhean **nach bhfaca** teilifís riamh ; an cailín **nach bhfuair** an chéad duais ; an fear **nach raibh** ann.

Obair le déanamh

A. Scríobh an Fhoirm Dhiúltach díobh seo :

1. An buachaill a imríonn peil. 2. An páipéar a fhaighim gach maidin. 3. An bhó a dhíolfar amárach. 4. An siopa a d'osclaítí ar a hocht a chlog gach maidin anuraidh. 5. Fear a chabhródh leat. 6. Na cailíní a bhí ar scoil. 7. An bhean a d'imigh inné. 8. An buachaill a chuaigh abhaile in am. 9. An t-airgead a thug tú dom. 10. An fear a chonaic an taisme inné.

B. Scríobh an Fhoirm Dhearfach de na habairtí seo :

1. Is cailín í sin nach mbíonn ar scoil gach lá. 2. Cé hé an fear nach dtiocfaidh amárach? 3. Is é sin an duine nach n-aontaíonn liom. 4. Is abairt í sin nach dtuigim go maith. 5. Is geata é sin nach bhfágfar ar oscailt anocht. 6. Bhí a lán daoine ann nár chreid an scéal. 7. Díoladh an capall nár bhuaigh an rás. 8. Is leabhar é sin nár thaitin liom. 9. Ar inis mé duit faoin leabhar nár cheannaigh mé? 10. D'iarr mé air imeacht, rud nach ndearna sé.

45

AN FORAINM COIBHNEASTA—II
Tuiseal Tabharthach

Féach na habairtí seo
(a) Na húlla **a chonaic** mé sa siopa
(b) An siopa **ina bhfaca** mé na húlla

Tá **a** sa *Chuspóireach* in (a) agus sa *Tabharthach* in (b). Leanann an *Fhoirm Spleách* den bhriathar an Forainm Coibhneasta sa Tuiseal Tabharthach.

Dearfach : **a** (*urú*) ; Diúltach : **nach** (*urú*)
Aimsir Chaite, de ghnáth : **ar** (*séimhiú*) agus **nár** (*séimhiú*)
In ionad an réamhfhocal a chur *roimh* an bhForainm Coibhneasta is gnách é a chur ag deireadh na habairte mar Fhorainm Réamhfhoclach ; m.sh.,

ina bhfaca mé na húlla > *a bhfaca* mé na húlla *ann.*

Samplaí eile : An bacach **a dtugaim** déirc **dó** go minic. An buachaill **nach dtabharfar** an chéad duais **dó.** An bus **ar chaill** tú do pheann **ann.** An fear **nár labhair** mé riamh **leis.**

Ceisteanna
Cé **aige a bhfuil** an leabhar ? Cé **dó ar thug** tú an peann ?
Cad **leis ar ghearr** tú do mhéar ?

Tuiseal Ginideach
Is ionann foirm don Ghinideach agus don Tabharthach i gcás an Fhorainm Choibhneasta.

a (*urú*) dearfach, **nach** (*urú*) diúltach, ach amháin san Aimsir Chaite ; **ar** (*séimhiú*) agus **nár** (*séimhiú*) san Aimsir Chaite.
(a) An bhean **atá** breoite (*Ainmneach*)
(b) An bhean **a bhfuil** a mac breoite (*Ginideach*)
(a) An cailín **a tháinig** anseo inné (*Ainmneach*)
(b) An cailín **ar tháinig** a mháthair anseo inné (*Ginideach*)
(a) An fear **nach gcaitheann** toitíní (*Ainmneach*)
(b) An buachaill **nach gcaitheann** a athair toitíní (*Ginideach*)

Forainm Coibhneasta na Copaile

Tuiseal Ainmneach : *Aimsir Láithreach*—**is, nach :**
Cibé rud **is** mian leat. Pictiúr **nach** maith liom.
Aimsir Chaite agus *Modh Coinníollach*—**ba (ab) ; nár** roimh
chonsan, **nárbh** roimh ghuta : Bean **ba** chúis leis an achrann ;
Teach **ab fhiú** trí mhíle punt. Dán **nárbh eol** dom.

Tuiseal Tabharthach : *Aimsir Láithreach*—**ar, nach** roimh
chonsan ; **arb, nach** roimh ghuta : an cailín **ar** léi an peann sin.
Buachaill **nach** eol dó an freagra.
Aimsir Chaite agus Modh Coinníollach—**ar** (*séimhiú*), **nár** (*séimhiú*)
roimh chonsan ; **arbh, nárbh** roimh ghuta : an fear **ar** leis an
fheirm sin cailleadh inné é. Gasúr **nár** mhaith leis dul ar scoil
inné.

Tuiseal Ginideach : Is ionann foirm don Tuiseal Ginideach
agus don Tuiseal Tabharthach—**ar, arb, nach : ar, nár, arbh,
nárbh.** Cailín **ar** banaltra a máthair. Buachaill **nach** múinteoir
a athair. An bhean **ar** dhochtúir a mac, fuair sí bás inné.

Forainm Coibhneasta an Méid

Úsáidtear **a** agus **ar** (*aimsir chaite*) chun an **méid** a chur in iúl :
Chaill sé **a raibh** aige. D'ith sé **a bhfuair** sé. Sin
a bhfuil agam le rá. Sin **ar** cheannaigh mé.

Obair le déanamh

A. Cuir isteach an briathar *tabhair* **i ngach bearna anseo :**
1. Cé dó a . . . Seán an páipéar gach lá ? 2. Cé dó ar . . . Seán
an páipéar inné ? 3. Cé dó a . . . Seán an páipéar amárach ?
4. Cé dó a . . . Seán an páipéar gach lá anuraidh ? 5. Cé dó a
. . . Seán an páipéar dá mbeadh sé aige ?

**B. Déan abairt amháin de gach péire díobh seo thíos trína
gceangal dá chéile le forainm coibhneasta :**
1. Sin í an tsráid. Tá Seán ina chónaí ann. 2. Sin é an focal.
Ní thuigim é. 3. Sin é an fear. Fuair a mhac bás inné. 4. Chonaic
mé an siopa. Bhíodh Art ag obair ann. 5. Sin í an bhean. Is
Garda a mac.

46

NA DOBHRIATHRA

Cumtar an chuid is mó de na dobhriathra as aidiachtaí nó as ainmfhocail trí réamhfhocal a chur rompu :

Go + Aidiacht

go breá	go deas	go dona	go maith
go hálainn	go hard	go héasca	go holc

Réamhfhocal + Ainmfhocal

ar   ar ais, ar deireadh, ar fad, ar gcúl.

de   de ghnáth. **faoi** faoi dheireadh.

go   go brách, go deimhin, go fóill, go léir, go leor.

i   in aisce, i dtosach, in éineacht, i gcónaí, i mbliana.

ó   ó chéile, ó shin, ó thús.

Tá dobhriathra eile ann a chiallaíonn am, áit, modh, srl., agus dobhriathra ceisteacha agus diúltacha.

Am : Anois, arís, annamh, cheana, choíche, déanach, fós, feasta, minic, riamh, uaireanta ; inniu, inné, arú inné, amárach, anocht, aréir, anuraidh.

Áit : Ann, anseo, ansin, abhaile, amach, amuigh, isteach, istigh, amú, anonn, anall, srl. ; thuas, thíos, srl. ; thoir, thiar, theas, thuaidh, srl. ; abhus, i láthair, as láthair.

Modh : Os ard, os íseal, ar chor ar bith, in aon chor ; amhlaidh, beagnach, nach mór, dáiríre, fosta, freisin.

Ceisteach : Cathain ? Cén uair ? Cá ? Conas ? Cén chaoi ? Cad as ? Cén fáth ? Cad ina thaobh ? Cá huair ? Cad chuige ? srl.

Diúltach : ní, nach, ná, níor, nár.

Éagsúil : Áfach, chomh maith, dá bhrí sin, ar ndóigh, go háirithe, mar sin, mar an gcéanna.

Síos agus Suas

Úsáidtear ceann de na dobhriathra **suas, thuas, anuas** nuair a dhéantar tagairt do dhuine nó rud atá *os cionn na háite* ina bhfuil an cainteoir, agus **síos, thíos,** nó **aníos** nuair a dhéantar tagairt do dhuine nó rud atá *faoin áit* ina bhfuil an cainteoir :

Chuaigh fear **suas** go barr cnoic, d'fhan sé **thuas** ansin, tamall, ag breathnú ar an radharc, ansin tháinig sé **anuas** arís. Chuaigh tumadóir **síos** san fharraige, d'fhan sé **thíos** ansin ar thóin na farraige tamall, ansin tháinig sé **aníos** arís.

Amach agus Isteach

Gluaiseacht : amach, isteach. **Suíomh :** amuigh, istigh.

In ionad teacht **amach** as an teach d'fhan sé **istigh** ann. In ionad dul **isteach** sa teach d'fhan sé **amuigh.**

Na hAirde

Na hAirde : In Éirinn tá Baile Átha Cliath ar an taobh **thoir,** Gaillimh ar an taobh **thiar,** Corcaigh ar an taobh **theas,** agus Doire ar an taobh **thuaidh.**

Deirtear ag dul **soir, siar, ó dheas, ó thuaidh,** ach ag teacht **anoir, aniar, aneas, aduaidh :**

Ag dul **soir** ó Áth Luain go Baile Átha Cliath, agus ag teacht **anoir** arís. Ag dul **siar** ó Áth Luain go Gaillimh, agus ag teacht **aniar** arís. Ag dul **ó dheas** ó Áth Luain go Corcaigh, agus ag teacht **aneas** arís. Ag dul **ó thuaidh** ó Áth Luain go Doire, agus ag teacht **aduaidh** arís.

Obair le déanamh

1. **Cuir** *ag dul* **roimh na dobhriathra seo agus athraigh iad dá réir.**

   amuigh, istigh, thíos, thuas, thuaidh, theas, thoir, thiar.

2. **Cuir** *ag teacht* **roimh na dobhriathra céanna agus athraigh iad.**

3. **Líon isteach ainm na gaoithe i ngach abairt díobh seo :**

   An ghaoth . . . bíonn sí crua, An ghaoth . . . bíonn sí tais, An ghaoth . . . bíonn sí tirim, An ghaoth . . . bíonn sí fial.

95

47

PARSÁIL

Tá cur síos ar na Ranna Cainte i gCeacht I. Sa Pharsáil ní mór an t-eolas seo a leanas a thabhairt fúthu :

An Briathar : aistreach nó neamhaistreach ; modh ; aimsir ; pearsa agus uimhir nó saor ; an t-ainmní a lua.

An tAlt : inscne ; uimhir ; tuiseal.

An tAinmfhocal : sórt (dílis, coiteann, nó teibí) ; inscne ; pearsa ; uimhir ; tuiseal.

An Aidiacht : céim ; inscne ; uimhir ; tuiseal.

An Forainm : inscne ; pearsa ; uimhir ; tuiseal.

An Dobhriathar : an focal a cháilíonn sé a lua.

An Réamhfhocal : tuiseal an ainmfhocail a leanann é a lua.

An Cónasc : na focail, clásail, srl. a cheanglaíonn sé a lua.

Samplaí :

Gach focal thíos a bhfuil cló trom air a pharsáil :

(a) Fuair Seán nead fuiseoige sa mhóinéar inné.

Fuair : briathar ; aistreach ; táscach ; caite ; tríú pearsa ; uatha ; ag gabháil le *Seán.*

Seán : ainmfhocal dílis ; firinscneach ; tríú pearsa ; uatha ; tuiseal ainmneach. É ina ainmní ag *fuair.*

nead : ainmfhocal coiteann ; baininscneach ; tríú pearsa ; uatha ; tuiseal cuspóireach faoi réir ag *fuair.*

fuiseoige : ainmfhocal coiteann ; baininscneach ; tríú pearsa ; uatha ; tuiseal ginideach faoi rialú ag *nead.*

sa : réamhfhocal a rialaíonn *móinéar* sa tuiseal tabhartach.

mhóinéar : ainmfhocal coiteann ; firinscneach ; tríú pearsa ; uatha ; tuiseal tabharthach faoi réir ag *sa.*

inné : dobhriathar a cháilíonn *fuair.*

(b) **Ná caitear bruscar ar an tsráid.**

Ná : dobhriathar diúltach a cháilíonn *caitear.*

caitear : briathar ; aistreach ; ordaitheach ; saor.

bruscar : ainmfhocal coiteann ; firinscneach ; tríú pearsa ; uatha ; tuiseal cuspóireach faoi réir ag *caitear.*

ar : réamhfhocal a rialaíonn *sráid* sa tuiseal tabharthach.

an : an t-alt ; baininscneach ; uatha ; tuiseal tabharthach.

tsráid : ainmfhocal coiteann ; baininscneach ; tríú pearsa ; uatha ; tuiseal tabharthach faoi réir ag *ar.*

(c) Bhí an bhean **bhocht ag iarraidh** déirce.

bhocht : aidiacht ; bunchéim ; baininscneach ; uatha ; sa tuiseal ainmneach ag réiteach le *bean.*

ag : réamhfhocal a rialaíonn *iarraidh* sa tabharthach.

iarraidh : ainm briathartha ; baininscneach ; uatha ; tuiseal tabharthach faoi réir ag *ag.*

(d) Thug sé **dom é agus** d'imigh.

dom : forainm réamhfhoclach ; cumasc : do+mé ; an chéad phearsa ; uatha.

é : forainm pearsanta ; firinscneach ; tríú pearsa : uatha ; tuiseal cuspóireach faoi réir ag *thug.*

agus : cónasc a cheanglaíonn clásail 1 agus 2.

Obair le déanamh

Abair cad is Roinn Cainte do gach focal sna habairtí seo a leanas, agus parsáil na focail a bhfuil cló trom orthu.

1. **Bíonn bróg éadrom** ar an **ngadaí.** 2. Ní **fhaigheann** an **lámh** iata **ach an dorn dúnta.** 3. **Mol** an páiste **agus molann** tú an **mháthair.** 4. Nuair a bhíonn an cat **amuigh bíonn** an luch **ag rince.** 5. Tabhair rud **don leanbh** agus **tiocfaidh sé arís.** 6. Tabhair aire **don chearc** agus **béarfaidh** sí **ubh.** 7. Déan sa **bhaile mar** a **dhéanfá** as baile. 8. Ní **dhéanfadh** an saol capall rása d'asal. 9. Triail **naoi** n-uaire é **sula** gcaillfidh tú **do mhisneach.** 10. Go **maire** tú agus go **gcaithe** tú na **bróga nua.**

97

48

TAIFEACH ABAIRTÍ—I

I ngach abairt shimplí mar—

Tháinig Seán. Rith Séamas. Thit Mícheál.

—tugann an chéad. fhocal **faisnéis** i dtaobh duine darb ainm *Seán* nó *Séamas* nó *Mícheál.*

Tugtar **an tAinmní** ar an dara focal sin.

Is minic a bhíonn **Cuspóir** san abairt :

Rug an chearc **ubh.**

Scríobh Máire **litir.**

Chaill mé **scilling.**

Is **Cuspóir** gach focal díobh seo : *ubh, litir, scilling.*

Tugtar **Taifeach** ar abairtí a roinnt mar sin.

Is iad **An Fhaisnéis, an tAinmní** agus **an Cuspóir** na trí phríomhroinn san abairt. Na focail eile san abairt is **leathnú** ar cheann éigin de na trí roinn iad, de ghnáth.

Leathnú

Má dhéantar taifeach ar na habairtí seo a leanas :

(*a*) Thug an búistéir cineálta píosa feola don mhadra ocrach.

(*b*) Taispeánann bronntanas beag grá mór go minic.

seo mar a roinntear iad :

An Fhaisnéis	An tAinmní	An Cuspóir
(*a*) thug (*b*) taispeánann	búistéir bronntanas	píosa grá
Leathnú na Faisnéise	**Leathnú an Ainmní**	**Leathnú an Chuspóra**
(*a*) don mhadra ocrach (*b*) go minic	(i) an (ii) cineálta beag	feola mór

Tá

Ní bhíonn aon chuspóir ag an mbriathar **tá** ; na focail a chuirtear leis chun an bhrí a dhéanamh iomlán, tugtar **Comhlánú na Faisnéise** orthu.

Bhí na héin ag canadh go binn an mhaidin sin.

An Fhaisnéis :	bhí
An tAinmní :	na héin
Comhlánú na Faisnéise :	ag canadh go binn.
Leathnú na Faisnéise :	an mhaidin sin.

Tugtar **Comhlánú na Faisnéise** freisin ar aon fhocal a chuirtear le briathar, taobh amuigh den chuspóir, chun an bhrí a dhéanamh iomlán. Tá cló trom ar an **gcomhlánú** sna habairtí seo :

Iarr **air** teacht. Chuir sé an milleán **ormsa**.
Lig mé an t-éan **saor**. Thóg sé an beart **uaim**.

An Chopail

Tagann **an Fhaisnéis** (ainmfhocal, forainm, nó abairtín) díreach tar éis na Copaile.

An Fhaisnéis	**An tAinmní**
Is ainmhí	bó.
Is é Seán	é.
Ba é sin	an fear a luaigh mé.
An tú	an mac is sine?

Obair le déanamh

Déan taifeach ar na habairtí seo a leanas :

1. Aithníonn ciaróg ciaróg eile. 2. Níor bhris dea-fhocal béal duine riamh. 3. Bíonn an fhírinne searbh go minic. 4. Is maith an scéalaí an aimsir. 5. Is é do phóca do chara. 6. Is minic a bhris béal duine a shrón. 7. Níor dhóigh seanchat é féin riamh. 8. Déanann sparán trom croí éadrom. 9. Ná hinis gnó do bhaile don chomharsa. 10. Ní bhailíonn cloch reatha caonach.

49

TAIFEACH ABAIRTÍ—II

I gCeacht 48 ní raibh i gceist ach Abairtí Simplí i.e. clásal amháin i ngach abairt ; ach is minic a bhíonn dhá chlásal nó breis in abairt. Is féidir leis na clásail sin a bheith neamhspleách ar a chéile (a) nó ceann amháin a bheith ina Phríomhchlásal agus na cinn eile (Fochlásail) a bheith ag brath air (b) :

(a) D'oscail sé an doras agus chuaigh sé amach. Is Príomh-chlásal gach ceann den dá chlásal sin.

(b) D'oscail sé an doras nuair a chuala sé an cnag. Is Fochlásal " nuair a chuala sé an cnag."

Príomhchlásail

Ceanglaítear Príomhchlásail dá chéile leis na cónaisc, **agus, ach,** nó **dá bhrí sin.** Uaireanta ní bhíonn aon chónasc eatarthu :

Cheannaigh sé leabhar **agus** dhíol sé as.

D'éist sé liom **ach** ní dúirt sé focal.

Bhí sé fliuch, **dá bhrí sin** d'fhan mé istigh.

Fuair sé oráiste, bhain sé an craiceann de, **agus** d'ith sé é.

Fochlásail

Ní thugann Fochlásail scéal iomlán dúinn iontu féin ; bíonn siad ag brath ar an bPríomhchlásal.

Is féidir trí roinn a dhéanamh de na Fochlásail.

(a) Leanann **Fochlásal** Príomhchlásal a thosaíonn le *creidim, cloisim, deirim, is dócha,* srl.

Cloisim *go raibh a lán daoine ann.*

Deirim *nach fíor é sin.*

Is dócha *go mbeidh fearthainn ann.*

(Déanann fochlásail mar atá in (a) obair *ainmfhocail* atá sa tuiseal ainmneach nó cuspóireach.)

(*b*) Leanann **Fochlásal** an forainm coibhneasta :

Ní hé sin an fear *a chonaic mé inné.*

Seo an chéad teach *a dtabharfaidh siad cuairt air.*

(Déanann fochlásail mar atá in (*b*) obair *aidiachta.*)

(*c*) **Is Fochlásal,** de ghnáth, ceann a leanann focail mar *dá, toisc, chun go, ar chaoi, sula, sular, mar,* srl.

Dá dtiocfadh sé anois bheinn sásta.

D'imigh sé *sula raibh am agam labhairt leis.*

Fan *mar a bhfuil tú.*

(Déanann fochlásail mar atá in (*c*) obair *dobhriathair.*)

Samplaí as páipéir scrúdaithe (le cead ón Roinn Oideachais) i gcomhair scoláireachtaí i Meánscoileanna. Tá cló trom ar na *Príomh-chlásail agus cló iodáileach ar na Fochlásail* :

Ghabh mé mo bhuíochas leo agus *nuair a cheistigh fear an tí mé* **d'inis mé dó** gach rud a tharla. (1961)

Léimeamar as an leaba agus **las mé féin an tóirse beag** *a bhí faoin adhairt agam.* (1960)

Nuair a shroicheamar an rothar briste **d'fhéachamar air** agus **bhíomar sásta** *nach bhféadfaí é a úsáid arís.* (1954)

Obair le déanamh

Scríobh amach na clásail go léir atá sna habairtí seo a leanas agus inis cén sórt clásail gach ceann acu (príomhchlásal nó fochlásal) :

1. Shéid an adharc, agus an méid acu a chuaigh thar abhainn anonn d'fhill siad anall ina gceann agus ina gceann (1956). 2. Dá mbeadh an peann níos láidre, déarfainn nach mbrisfinn choíche é (1953). 3. Nuair a bhí Tomás ag súgradh bhris sé an carr deas a fuair sé óna uncail (1952). 4. Bhain sé soir an bóthar agus nuair a tháinig sé chomh fada le claí na scoile, chuir sé moill ar a shiúl (1955). 5. Ar an bpointe boise bhí gach uile dhuine ar a chosa agus thosaigh an slua ag brú i gcoinne an dorais bhig a bhí cóngarach don ardán (1959).

Ceisteanna agus Freagraí

Ar ábhar gach abairte de na habairtí seo thíos, A, B, C, D, E, F, G, H, I, J, ceap cúig cheist a mbeadh na freagraí atá fúthu oiriúnach dóibh i ngach cás, ceann ar cheann :

A. " Thit capall ar an tsráid inné agus ghearr sé a ghlúine."
   inné ; ar an tsráid ; capall ; ba iad ; thit.

B. " Nuair a bhí Úna ag dul ar scoil chonaic sí gandal ar an
      mbóthar roimpi."
   ar scoil ; ar an mbóthar ; is í ; chonaic ; gandal.

C. " Fuair Seán nead fuiseoige sa mhóinéar."
   nead ; sa mhóinéar ; ba é ; fuair ; Seán.

D. " Tháinig an dochtúir aréir agus scrúdaigh sé an fear breoite."
   scrúdaigh ; an dochtúir ; tháinig ; aréir ; an fear breoite.

E. " D'fhág duine éigin geata na páirce ar oscailt agus chuaigh
      na ba amach ar an mbóthar."
   an geata ; na ba ; ar an mbóthar ; ar oscailt ; duine éigin.

F. " Léim an cat ar an mbord agus d'ól sé an bainne."
   an cat ; an bainne ; is ea ; d'ól ; is é.

G. " Is ó Sheán a fuair mé an peann seo."
   ó Sheán ; an peann ; fuair ; is ea ; mise.

H. " Thug Pádraig réal don fhear bocht."
   Pádraig ; réal ; thug ; níorbh ea ; don fhear bocht.

I. " Bhuail dhá ghluaisteán i gcoinne a chéile ag cúinne na
      sráide agus maraíodh beirt."
   beirt ; dhá ghluaisteán ; maraíodh ; bhuail ; ag cúinne
   na sráide.

J. " Fuair Eilís peann a chaill Máire agus thug sí di é."
   Eilís ; Máire ; ba í ; chaill ; ba é.

Briathra

Modh Ordaitheach	Aimsir Láithreach	Aimsir Fháistineach	Ainm Briathartha
bain	baineann	bainfidh	baint
bearr	bearrann	bearrfaidh	bearradh
bris	briseann	brisfidh	briseadh
bronn	bronnann	bronnfaidh	bronnadh
bruith	bruitheann	bruithfidh	bruith
buail	buaileann	buailfidh	bualadh
caill	cailleann	caillfidh	cailleadh
caith	caitheann	caithfidh	caitheamh
can	canann	canfaidh	canadh
cas	casann	casfaidh	casadh
ceap	ceapann	ceapfaidh	ceapadh
cíor	cíorann	cíorfaidh	cíoradh
creid	creideann	creidfidh	creidiúint
croch	crochann	crochfaidh	crochadh
croith	croitheann	croithfidh	croitheadh
crom	cromann	cromfaidh	cromadh
cuir	cuireann	cuirfidh	cur
díol	díolann	díolfaidh	díol
doirt	doirteann	doirtfidh	doirteadh
dún	dúnann	dúnfaidh	dúnadh
éist	éisteann	éistfidh	éisteacht
fág	fágann	fágfaidh	fágáil
fan	fanann	fanfaidh	fanacht
fás	fásann	fásfaidh	fás
féach	féachann	féachfaidh	féachaint
fill	filleann	fillfidh	filleadh

Modh Ordaitheach	Aimsir Láithreach	Aimsir Fháistineach	Ainm Briathartha
gabh	gabhann	gabhfaidh	gabháil
geall	geallann	geallfaidh	gealladh
gearr	gearrann	gearrfaidh	gearradh
glac	glacann	glacfaidh	glacadh
glan	glanann	glanfaidh	glanadh
goid	goideann	goidfidh	goid
iarr	iarrann	iarrfaidh	iarraidh
íoc	íocann	íocfaidh	íoc
las	lasann	lasfaidh	lasadh
leag	leagann	leagfaidh	leagan
lean	leanann	leanfaidh	leanúint
léim	léimeann	léimfidh	léim
lig	ligeann	ligfidh	ligean
líon	líonann	líonfaidh	líonadh
maith	maitheann	maithfidh	maitheamh
meas	measann	measfaidh	meas
mill	milleann	millfidh	milleadh
mol	molann	molfaidh	moladh
múch	múchann	múchfaidh	múchadh
múin	múineann	múinfidh	múineadh
ól	ólann	ólfaidh	ól
póg	pógann	pógfaidh	pógadh
pós	pósann	pósfaidh	pósadh
preab	preabann	preabfaidh	preabadh
rith	ritheann	rithfidh	rith
ruaig	ruaigeann	ruaigfidh	ruaigeadh
scaip	scaipeann	scaipfidh	scaipeadh
scoilt	scoilteann	scoiltfidh	scoilteadh
scread	screadann	screadfaidh	screadadh

Modh *Ordaitheach*	*Aimsir* *Láithreach*	*Aimsir* *Fháistineach*	*Ainm* *Briathartha*
scríob	scríobann	scríobfaidh	scríobadh
scríobh	scríobhann	scríobhfaidh	scríobh
scuab	scuabann	scuabfaidh	scuabadh
seas	seasann	seasfaidh	seasamh
sil	sileann	silfidh	sileadh
síl	síleann	sílfidh	síleadh
sín	síneann	sínfidh	síneadh
siúil	siúlann	siúlfaidh	siúl
snámh	snámhann	snámhfaidh	snámh
spreag	spreagann	spreagfaidh	spreagadh
sroich	sroicheann	sroichfidh	sroicheadh
stad	stadann	stadfaidh	stad
stop	stopann	stopfaidh	stopadh
stróic	stróiceann	stróicfidh	stróiceadh
teip	teipeann	teipfidh	teip
tiomáin	tiomáineann	tiomáinfidh	tiomáint
tit	titeann	titfidh	titim
tóg	tógann	tógfaidh	tógáil
treabh	treabhann	treabhfaidh	treabhadh
tuig	tuigeann	tuigfidh	tuiscint
tuill	tuilleann	tuillfidh	tuilleamh
báigh	bánn	báfaidh	bá
buaigh	buann	buafaidh	buachan
crúigh	crúnn	crúfaidh	crú
dóigh	dónn	dófaidh	dó
fuaigh	fuann	fuafaidh	fuáil
glaoigh	glaonn	glaofaidh	glaoch
guigh	guíonn	guífidh	guí

Modh Ordaitheach	Aimsir Láithreach	Aimsir Fháistineach	Ainm Briathartha
léigh	léann	léifidh	léamh
ligh	líonn	lífidh	lí
luigh	luíonn	luífidh	luí
nigh	níonn	nífidh	ní
suigh	suíonn	suífidh	suí
abair	deir	déarfaidh	rá
beir	beireann	béarfaidh	breith
bí	tá (bíonn)	beidh	bheith
clois	cloiseann	cloisfidh	cloisteáil
déan	déanann	déanfaidh	déanamh
faigh	faigheann	gheobhaidh	fáil
feic	chíonn	chífidh	feiceáil
ith	itheann	íosfaidh	ithe
tabhair	tugann	tabharfaidh	tabhairt
tar	tagann	tiocfaidh	teacht
téigh	téann	rachaidh	dul
ainmnigh	ainmníonn	ainmneoidh	ainmniú
bailigh	bailíonn	baileoidh	bailiú
beannaigh	beannaíonn	beannóidh	beannú
cabhraigh	cabhraíonn	cabhróidh	cabhrú
ceartaigh	ceartaíonn	ceartóidh	ceartú
cruinnigh	cruinníonn	cruinneoidh	cruinniú
cuidigh	cuidíonn	cuideoidh	cuidiú
deisigh	deisíonn	deiseoidh	deisiú
diúltaigh	diúltaíonn	diúltóidh	diúltú
éalaigh	éalaíonn	éalóidh	éalú
iompaigh	iompaíonn	iompóidh	iompú

Modh Ordaitheach	Aimsir Láithreach	Aimsir Fháistineach	Ainm Briathartha
ísligh	íslíonn	ísleoidh	ísliú
maraigh	maraíonn	maróidh	marú
mínigh	mííonn	míneoidh	míniú
ordaigh	ordaíonn	ordóidh	ordú
socraigh	socraíonn	socróidh	socrú
scrúdaigh	scrúdaíonn	scrúdóidh	scrúdú
tosaigh	tosaíonn	tosóidh	tosú
ceannaigh	ceannaíonn	ceannóidh	ceannach
cuardaigh	cuardaíonn	cuardóidh	cuardach
cuimhnigh	cuimhníonn	cuimhneoidh	cuimhneamh
dúisigh	dúisíonn	dúiseoidh	dúiseacht
éirigh	éiríonn	éireoidh	éirí
fiafraigh	fiafraíonn	fiafróidh	fiafraí
imigh	imíonn	imeoidh	imeacht
smaoinigh	smaoiníonn	smaoineoidh	smaoineamh
aithin	aithníonn	aithneoidh	aithint
bagair	bagraíonn	bagróidh	bagairt
cuimil	cuimlíonn	cuimleoidh	cuimilt
eitil	eitlíonn	eitleoidh	eitilt
freagair	freagraíonn	freagróidh	freagairt
imir	imríonn	imreoidh	imirt
labhair	labhraíonn	labhróidh	labhairt
múscail	músclaíonn	músclóidh	múscailt
oscail	osclaíonn	osclóidh	oscailt
ceangail	ceanglaíonn	ceanglóidh	ceangal
codail	codlaíonn	codlóidh	codladh
inis	insíonn	inseoidh	insint

107

Ainmfhocail den Chéad Díochlaonadh

Lagiolraí

(Is ionann foirm don *Ghin. Iolra* agus don *Ain. Uatha*)

Ain. Uatha	*Gin. Uatha*	*Ain. Iolra*
an t-airgead	an airgid	—
an t-amhrán	an amhráin	na hamhráin
an t-arán	an aráin	na haráin
an t-asal	an asail	na hasail
an bacach	an bhacaigh	na bacaigh
an bád	an bháid	na báid
an banc	an bhainc	na bainc
an béal	an bhéil	na béil
an beart	an bhirt	na bearta
an beithíoch	an bheithígh	na beithígh
an biorán	an bhioráin	na bioráin
an bord	an bhoird	na boird
an bradán	an bhradáin	na bradáin
an bréagán	an bhréagáin	na bréagáin
an buidéal	an bhuidéil	na buidéil
an camán	an chamáin	na camáin
an capall	an chapaill	na capaill
an casúr	an chasúir	na casúir
an cat	an chait	na cait
an ceann	an chinn	na cinn
an clog	an chloig	na cloig
an clúdach	an chlúdaigh	na clúdaigh
an cnoc	an chnoic	na cnoic
an coileach	an choiligh	na coiligh
an crann	an chrainn	na crainn
an cupán	an chupáin	na cupáin

108

Ain. Uatha	*Gin. Uatha*	*Ain. Iolra*
an dícheall	an díchill	—
an dinnéar	an dinnéir	na dinnéir
an domhan	an domhain	na domhain
an dúch	an dúigh	na dúigh
an t-éan	an éin	na héin
an t-earrach	an earraigh	na hearraigh
an t-easpag	an easpaig	na heaspaig
an t-eolas	an eolais	—
an faoileán	an fhaoileáin	na faoileáin
an faitíos	an fhaitís	—
an fear	an fhir	na fir
an féar	an fhéir	na féara
an fionnadh	an fhionnaidh	—
an focal	an fhocail	na focail
an fód	an fhóid	na fóid
an fómhar	an fhómhair	na fómhair
an francach	an fhrancaigh	na francaigh
an gabhar	an ghabhair	na gabhair
an gadhar	an ghadhair	na gadhair
an gaineamh	an ghainimh	—
an garsún	an gharsúin	na garsúin
an gás	an gháis	na gáis
an glas	an ghlais	na glais
an gluaisteán	an ghluaisteáin	na gluaisteáin
an gort	an ghoirt	na goirt
an gual	an ghuail	—
an t-iarann	an iarainn	na hiarainn
an t-iasc	an éisc	na héisc
an lasán	an lasáin	na lasáin
an leabhar	an leabhair	na leabhair

Ain. Uatha	*Gin. Uatha*	*Ain. Iolra*
an leathanach	an leathanaigh	na leathanaigh
an mac	an mhic	na mic
an milseán	an mhilseáin	na milseáin
an muineál	an mhuiníl	na muiníl
an nóiméad	an nóiméid	na nóiméid
an t-ocras	an ocrais	—
an t-oileán	an oileáin	na hoileáin
an t-ospidéal	an ospidéil	na hospidéil
an páipéar	an pháipéir	na páipéir
an peann	an phinn	na pinn
an peitreal	an pheitril	—
an pictiúr	an phictiúir	na pictiúir
an plúr	an phlúir	—
an punt	an phuint	na puint
an rothar	an rothair	na rothair
an sac	an tsaic	na saic
an sagart	an tsagairt	na sagairt
an salann	an tsalainn	na salainn
an scamall	an scamaill	na scamaill
an scáthán	an scátháin	na scátháin
an sciathán	an sciatháin	na sciatháin
an séipéal	an tséipéil	na séipéil
an sionnach	an tsionnaigh	na sionnaigh
an sparán	an sparáin	na sparáin
an suipéar	an tsuipéir	na suipéir
an tamall	an tamaill	na tamaill
an tarbh	an tairbh	na tairbh
an tinteán	an tinteáin	na tinteáin
an troscán	an troscáin	—
an turas	an turais	na turais

Ain. Uatha	*Gin. Uatha*	*Ain. Iolra*
an t-uan	an uain	na huain
an t-úll	an úill	na húlla
an t-urlár	an urláir	na hurláir

Tréaniolraí

(Is ionann foirm do na tuisil go léir san Iolra)

an t-aonach	an aonaigh	na haontaí
an bealach	an bhealaigh	na bealaí
an bóthar	an bhóthair	na bóithre
an briathar	an bhriathair	na briathra
an carr	an chairr	na carranna
an ceol	an cheoil	na ceolta
an dán	an dáin	na dánta
an doras	an dorais	na doirse
an t-éadach	an éadaigh	na héadaí
an figiúr	an fhigiúir	na figiúirí
an geimhreadh	an gheimhridh	na geimhrí
an leanbh	an linbh	na leanaí
an líon	an lín	na líonta
an lón	an lóin	na lónta
an marc	an mhairc	na marcanna
an néal	an néil	na néalta
an t-orlach	an orlaigh	na horlaí
an réal	an réil	na réalacha
an rós	an róis	na rósanna
an samhradh	an tsamhraidh	na samhraí
an saol	an tsaoil	na saolta
an scéal	an scéil	na scéalta
an seol	an tseoil	na seolta
an síol	an tsíl	na síolta
an solas	an tsolais	na soilse
an t-ualach	an ualaigh	na hualaí

111

Ainmfhocail den Dara Díochlaonadh

Lagiolraí

(Is ionann foirm don *Ghin. Iolra* agus don *Ain. Uatha*)

Ain. Uatha	*Gin. Uatha*	*Ain. Iolra*
an adharc	na hadhairce	na hadharca
an aeróg	na hacróige	na haeróga
an bhábóg	na bábóige	na bábóga
an bháisteach	na báistí	—
an bheach	na beiche	na beacha
an bhos	na boise	na bosa
an bhréag	na bréige	na bréaga
an bhróg	na bróige	na bróga
an chearc	na circe	na cearca
an chíor	na círe	na cíora
an chlann	na clainne	na clanna
an chloch	na cloiche	na clocha
an chluas	na cluaise	na cluasa
an chnámh	na cnáimhe	na cnámha
an chos	na coise	na cosa
an chuach	na cuaiche	na cuacha
an chuileog	na cuileoige	na cuileoga
an dealg	na deilge	na dealga
an deoir	na deoire	na deora
an duilleog	na duilleoige	na duilleoga
an fháinleog	na fáinleoige	na fáinleoga
an fhearthainn	na fearthainne	—
an fhéasóg	na féasóige	na féasóga
an fhuinneog	na fuinneoige	na fuinneoga
an fhuinseog	na fuinseoige	—

112

Ain. Uatha	Gin. Uatha	Ain. Iolra
an fhuiseog	na fuiseoige	na fuiseoga
an ghaoth	na gaoithe	na gaotha
an ghéag	na géige	na géaga
an ghealach	na gealaí	na gealacha
an ghirseach	na girsí	na girseacha
an ghruaig	na gruaige	—
an t-im (f.)	an ime	
an lámh	na láimhe	na lámha
an long	na loinge	na longa
an luch	na luiche	na lucha
an mhéar	na méire	na méara
an mhias	na méise	na miasa
an mhin	na mine	—·
an mhuc	na muice	na muca
an ordóg	na hordóige	na hordóga
an phancóg	na pancóige	na pancóga
an pheil	na peile	—
an sceach	na sceiche	na sceacha
an scuab	na scuaibe	na scuaba
an tseamróg	na seamróige	na seamróga
an tseoid	na seoide	na seoda
an tsióg	na sióige	na sióga
an tslat	na slaite	na slata
an sméar	na sméire	na sméara
an spideog	na spideoige	na spideoga
an spúnóg	na spúnóige	na spúnóga
an tsreang	na sreinge	na sreanga
an tsrón	na sróine	na sróna
an tsubh	na suibhe	—
an tintreach	na tintrí	—
an toirneach	na toirní	—

113

Tréaniolraí

(Is ionann foirm do na tuisil go léir san Iolra)

Ain. Uatha	Gin. Uatha	Ain. Iolra
an abairt	na habairte	na habairtí
an aill	na haille	na haillte
an aimsir	na haimsire	na haimsirí
an áit	na háite	na háiteanna
an aois	na haoise	na haoiseanna
an bhráillín	na bráillíne	na bráillíní
an chailc	na cailce	na cailceanna
an chaint	na cainte	na cainteanna
an charraig	na carraige	na carraigeacha
an cheist	na ceiste	na ceisteanna
an chistin	na cistine	na cistineacha
an choill	na coille	na coillte
an choinneal	na coinnle	na coinnle
an chontúirt	na contúirte	na contúirtí
an chraobh	na craoibhe	na craobhacha
an chrois	na croise	na croiseanna
an chuilt	na cuilte	na cuilteanna
an chúis	na cúise	na cúiseanna
an duais	na duaise	na duaiseanna
an eaglais	na heaglaise	na heaglaisí
an fheirm	na feirme	na feirmeacha
an fheis	na feise	na feiseanna
an fhiacail	na fiacaile	na fiacla
an ghrian	na gréine	na grianta
an ghualainn	na gualainne	na guaillí
an iall	na héille	na hiallacha

114

Ain. Uatha	*Gin. Uatha*	*Ain. Iolra*
an iníon	na hiníne	na hiníonacha
an léim	na léime	na léimeanna
an liathróid	na liathróide	na liathróidí
an nead	na neide	na neadacha
an obair	na hoibre	na hoibreacha
an oifig	na hoifige	na hoifigí
an phaidir	na paidre	na paidreacha
an pháirc	na páirce	na páirceanna
an phian	na péine	na pianta
an phingin	na pingine	na pinginí
an tsáil	na sáile	na sála
an scian	na scine	na sceana
an scilling	na scillinge	na scillingí
an scoil	na scoile	na scoileanna
an tseachtain	na seachtaine	na seachtainí
an tsíon	na síne	na síonta
an sliabh (*f.*)	an tsléibhe	na sléibhte
an tsnáthaid	na snáthaide	na snáthaidí
an spéir	na spéire	na spéartha
an tsráid	na sráide	na sráideanna
an stoirm	na stoirme	na stoirmeacha
an tír	na tíre	na tíortha
an tonn	na toinne	na tonnta
an trucail	na trucaile	na trucailí
an uair	na huaire	na huaireanta
an ubh	na huibhe	na huibheacha

Eisceachtaí

Ain. Uatha	*Gin. Uatha*	*Ain. Iolra*	*Gin. Iolra*
an ghlúin	na glúine	na glúine	na nglún
an tsúil	na súile	na súile	na súl

Ainmfhocail den Tríú Díochlaonadh

Firinscneach—Tréaniolraí

Ain. Uatha	*Gin. Uatha*	*Ain. Iolra*
an t-am	an ama	na hamanna
an t-anam	an anama	na hanamacha
an bádóir	an bhádóra	na bádóirí
an báicéir	an bháicéara	na báicéirí
an bláth	an bhlátha	na bláthanna
an buachaill	an bhuachalla	na buachaillí
an búistéir	an bhúistéara	na búistéirí
an cainteoir	an chainteora	na cainteoirí
an cath	an chatha	na cathanna
an ceacht	an cheachta	na ceachtanna
an cíos	an chíosa	na cíosanna
an cith	an cheatha	na ceathanna
an crios	an chreasa	na criosanna
an dath	an datha	na dathanna
an dochtúir	an dochtúra	na dochtúirí
an droim	an droma	na dromanna
an feirmeoir	an fheirmeora	na feirmeoirí
an fiaclóir	an fhiaclóra	na fiaclóirí
an fíon	an fhíona	na fíonta
an fuacht	an fhuachta	—
an gamhain	an ghamhna	na gamhna
an gleann	an ghleanna	na gleannta
an grósaeir	an ghrósaera	na grósaeirí
an guth	an ghutha	na guthanna
an loch	an locha	na lochanna
an mionn	an mhionna	na mionnaí

Ain. Uatha	*Gin. Uatha*	*Ain. Iolra*
an múinteoir	an mhúinteora	na múinteoirí
an péintéir	an phéintéara	na péintéirí
an rang	an ranga	na ranganna
an rás	an rása	na rásaí
an rinceoir	an rinceora	na rinceoirí
an roth	an rotha	na rothaí
an rud	an ruda	na rudaí
an sioc	an tseaca	—
an siopadóir	an tsiopadóra	na siopadóirí
an siúinéir	an tsiúinéara	na siúinéirí
an sos	an tsosa	na sosanna
an táilliúir	an táilliúra	na táilliúirí
an tincéir	an tincéara	na tincéirí
an t-úinéir	an úinéara	na húinéirí

Baininscneach—Tréaniolraí

an altóir	na haltóra	na haltóirí
an bheannacht	na beannachta	na beannachtaí
an bhliain	na bliana	na blianta
an chuid	na coda	na codanna
an fheoil	na feola	na feolta
an fhuil	na fola	—
an iasacht	na hiasachta	na hiasachtaí
an mháistreás	na máistreása	na máistreásaí
an mhil	na meala	—
an mhóin	na móna	na móinte
an nuacht	na nuachta	—
an tsíocháin	na síochána	—
an troid	na troda	na troideanna
an uimhríocht	na huimhríochta	—

117

Ainmfhocail den Cheathrú Díochlaonadh

Firinscneach—Tréaniolraí

Ain. Uatha	*Gin. Uatha*	*Ain. Iolra*
an t-ainm	an ainm	na hainmneacha
an t-ainmhí	an ainmhí	na hainmhithe
an baile	an bhaile	na bailte
an bainne	an bhainne	—
an báisín	an bháisín	na báisíní
an balla	an bhalla	na ballaí
an bata	an bhata	na bataí
an béile	an bhéile	na béilí
an bia	an bhia	na bianna
an binse	an bhinse	na binsí
an bóna	an bhóna	na bónaí
an bosca	an bhosca	na boscaí
an bricfeasta	an bhricfeasta	na bricfeastaí
an briosca	an bhriosca	na brioscaí
an búcla	an bhúcla	na búclaí
an buille	an bhuille	na buillí
an bus	an bhus	na busanna
an caife	an chaife	—
an cailín	an chailín	na cailíní
an cárta	an chárta	na cártaí
an ceapaire	an cheapaire	na ceapairí
an cigire	an chigire	na cigirí
an císte	an chíste	na cístí
an claí	an chlaí	na claíocha
an cluiche	an chluiche	na cluichí
an cnaipe	an chnaipe	na cnaipí
an cócaire	an chócaire	na cócairí

118

Ain. Uatha	*Gin. Uatha*	*Ain. Iolra*
an coinín	an choinín	na coiníní
an coirce	an choirce	—
an coláiste	an choláiste	na coláistí
an contae	an chontae	na contaetha
an cóta	an chóta	na cótaí
an croí	an chroí	na croíthe
an crúiscín	an chrúiscín	na crúiscíní
an cú	an chú	na cúnna
an dalta	an dalta	na daltaí
an dáta	an dáta	na dátaí
an dlí	an dlí	na dlíthe
an dráma	an dráma	na drámaí
an duine	an duine	na daoine
an fáinne	an fháinne	na fáinní
an féilire	an fhéilire	na féilirí
an féasta	an fhéasta	na féastaí
an file	an fhile	na filí
an gadaí	an ghadaí	na gadaithe
an gairdín	an ghairdín	na gairdíní
an gáire	an gháire	na gáirí
an garda	an gharda	na gardaí
an geata	an gheata	na geataí
an giorria	an ghiorria	na giorriacha
an glasra	an ghlasra	na glasraí
an gnó	an ghnó	na gnóthaí
an gréasaí	an ghréasaí	na gréasaithe
an gúna	an ghúna	na gúnaí
an gunna	an ghunna	na gunnaí
an halla	an halla	na hallaí
an hata	an hata	na hataí

Ain. Uatha	*Gin. Uatha*	*Ain. Iolra*
an t-iascaire	an iascaire	na hiascairí
an lampa	an lampa	na lampaí
an lao	an lao	na laonna
an liosta	an liosta	na liostaí
an madra	an mhadra	na madraí
an máistir	an mháistir	na máistrí
an mála	an mhála	na málaí
an ní	an ní	na nithe
an nóta	an nóta	na nótaí
an t-oibrí	an oibrí	na hoibrithe
an t-oide	an oide	na hoidí
an t-oráiste	an oráiste	na horáistí
an páiste	an pháiste	na páistí
an paróiste	an pharóiste	na paróistí
an píopa	an phíopa	na píopaí
an píosa	an phíosa	na píosaí
an pláta	an phláta	na plátaí
an pointe	an phointe	na pointí
an pota	an phota	na potaí
an práta	an phráta	na prátaí
an rí	an rí	na ríthe
an rolla	an rolla	na rollaí
an rópa	an rópa	na rópaí
an sampla	an tsampla	na samplaí
an seic	an tseic	na seiceanna
an seomra	an tseomra	na seomraí
an sicín	an tsicín	na sicíní
an siopa	an tsiopa	na siopaí
an siúcra	an tsiúcra	—
an sneachta	an tsneachta	—

Ain. Uatha	*Gin. Uatha*	*Ain. Iolra*
an staighre	an staighre	na staighrí
an stampa	an stampa	na stampaí
an stoca	an stoca	na stocaí
an tae	an tae	—
an tobac	an tobac	—
an toitín	an toitín	na toitíní
an t-uncail	an uncail	na huncailí
an t-uisce	an uisce	na huiscí

Baininscneach—Tréaniolraí

an aiste	na haiste	na haistí
an bhanaltra	na banaltra	na banaltraí
an bheatha	na beatha	na beathaí
an chomhairle	na comhairle	na comhairlí
an eagla	na heagla	—
an eala	na heala	na healaí
an fháilte	na fáilte	na fáiltí
an fharraige	na farraige	na farraigí
an ghé	na gé	na géanna
an ghloine	na gloine	na gloiní
an léine	na léine	na léinte
an líne	na líne	na línte
an oíche	na hoíche	na hoícheanta
an tsaoire	na saoire	—
an tsláinte	na sláinte	na sláintí
an tslí	na slí	na slite
an teanga	na teanga	na teangacha
an timpiste	na timpiste	na timpistí
an tine	na tine	na tinte
an trá	na trá	na tránna

Ainmfhocail den Chúigiú Díochlaonadh

Ain. Uatha	*Gin. Uatha*	*Ain. Iolra*
an abhainn (b.)	na habhann	na haibhneacha
an chathair (b.)	na cathrach	na cathracha
an chathaoir (b.)	na cathaoireach	na cathaoireacha
an chomharsa (b.)	na comharsan	na comharsana
an eochair (b.)	na heochrach	na heochracha
an litir (b.)	na litreach	na litreacha
an mháthair (b.)	na máthar	na máithreacha
an tsiúr (b.)	na siúrach	na siúracha
an traein (b.)	na traenach	na traenacha
an uimhir (b.)	na huimhreach	na huimhreacha
an t-athair (f.)	an athar	na haithreacha
an bráthair (f.)	an bhráthar	na bráithre
an deartháir (f.)	an dearthár	na deartháireacha
an cara (f.)	an charad	na cairde

Ainmfhocail Neamhrialta

an deirfiúr (b.)	na deirféar	na deirfiúracha
an deoch (b.)	na dí	na deochanna
an lá (f.)	an lae	na laethanta
an leaba (b.)	na leapa	na leapacha
an mhí (b.)	na míosa	na míonna
an olann (b.)	na holla	—
an teach (f.)	an tí	na tithe
an talamh (f.) (b.)	an talaimh / na talún	na tailte

Ain. Uatha	*Gin. Uatha*	*Ain. Iolra*	*Gin. Iolra*
an bhean	na mná	na mná	na mban
an bhó	na bó	na ba	na mbó
an chaora	na caorach	na caoirigh	na gcaorach
an lacha	na lachan	na lachain	na lachan

Aidiachtaí den Chéad Díochlaonadh

Bunchéim	*Breischéim* *Sárchéim*	*Bunchéim*	*Breischéim* *Sárchéim*
álainn	áille	gearr	giorra
ard	airde	glan	glaine
bacach	bacaí	glic	glice
bán	báine	gnóthach	gnóthaí
beag	lú	gorm	goirme
binn	binne	íseal	ísle
bocht	boichte	lag	laige
bodhar	bodhaire	láidir	láidre
bog	boige	leathan	leithne
brónach	brónaí	maith	fearr
cam	caime	mall	maille
caol	caoile	maol	maoile
ceart	cirte	mear	mire
ciúin	ciúine	milis	milse
daor	daoire	mín	míne
déanach	déanaí	mór	mó
dearg	deirge	óg	óige
deas	deise	olc	measa
díreach	dírí	ramhar	raimhre
domhain	doimhne	saibhir	saibhre
donn	doinne	saor	saoire
dubh	duibhe	sean	sine
fliuch	fliche	searbh	seirbhe
folamh	foilmhe	tirim	tirime
fuar	fuaire	tiubh	tibhe
garbh	gairbhe	trom	troime
geal	gile	uasal	uaisle
géar	géire	úr	úire

An Féilire

Laethanta na Seachtaine—Ainmfhocail : An Luan, An Mháirt, An Chéadaoin, An Déardaoin, An Aoine, An Satharn, An Domhnach. **Dobhriathra :** Dé Luain, Dé Máirt, Dé Céadaoin, Déardaoin, Dé hAoine, Dé Sathairn, Dé Domhnaigh.

Míonna na Bliana. Eanáir, Feabhra, Márta, Aibreán, Bealtaine, Meitheamh, Iúil, Lúnasa, Meán Fómhair, Deireadh Fómhair, Samhain, Nollaig.

Ráithí na Bliana. An tEarrach, An Samhradh, An Fómhar, An Geimhreadh.

Inniu, Inné, Amárach. 14ú **Inniu** (abair). Mar sin de 13ú **inné ;** 12ú **arú inné ;** 15ú **amárach ;** 16ú **arú amárach ;** 21ú **seachtain ón lá inniu ;** 7ú **seachtain is an lá inniu.**

Dátaí ar litreacha. 3 Eanáir, 1965 ; 17 Meitheamh, 1966.

Féilte na Bliana

Lá Caille	1 Ean.	Lá Lúnasa	1 Lún.
Nollaig Bheag	6 Ean.	Lá 'le Muire	15 Lún.
Lá 'le Bríde	1 Feabh.	san Fhómhar	
Lá 'le Pádraig	17 Már.	Lá 'le Míchíl	29 M.F.
Lá Bealtaine	1 Beal.	Lá Samhna	1 Samh.
Lá Fhéile Eoin	24 Meith.	Lá na Marbh	2 Samh.
Lá 'le Peadair agus Póil	29 Meith.	Lá Nollag	25 Noll.
		Lá 'le Stiofáin	26 Noll.

Na Féilte Reatha

Máirt na hInide. An lá roimh Chéadaoin an Luaithrigh.

Céadaoin an Luaithrigh. An chéad lá den Charghas.

An Carghas. An 40 lá roimh an gCáisc.

Domhnach Cásca. An lá a d'aiséirigh Ár dTiarna.

Aoine (an) Chéasta. An Aoine roimh Dhomhnach Cásca.

Céadaoin an Bhraith. An Chéadaoin roimh Dhomhnach Cásca.

Domhnach Cincíse. An 50ú lá i ndiaidh Dhomhnach Cásca.